COMPLAINTES ACADIENNES DE L'ÎLE•DU•PRINCE• ÉDOUARD

Photo de la couverture : Élide Albert

Maquette de la couverture : Jacques Léveillé

ISBN 2-7609-5286-X

georges arsenault

COMPLAINTES ACADIENNES DE L'ÎLE•DU•PRINCE• ÉDOUARD

LEMÉAC

Le Conseil des Arts de l'Île-du-Prince-Édouard a contribué financièrement à la transcription musicale des complaintes.

PRÉFACE

Les complaintes de l'Île-du-Prince-Édouard, que nous présente Georges Arsenault, sont des poèmes populaires chantés, rappelant les malheurs survenus chez les Acadiens de cette région de l'Atlantique. La plupart de ces chansons tristes relatent les derniers moments de personnes mortes en mer, en forêt, ou aux mains d'assassins, et font état des peines éprouvées par leurs parents et amis. D'autres complaintes décrivent les tristesses qui accablèrent les Acadiens séparés des leurs en des lieux étrangers.

Ces compositions transmises par le savoir traditionnel sont conformes aux sentiments de l'homme du peuple qui ressent le besoin de revivre ses malheurs et trouve une jouissance à les entendre évoquer. La trame de fond de ces plaintes qui émanent de la culture populaire respecte une structure uniforme.

Certains éléments essentiels au déroulement théâtral de cette forme de spectacle populaire se retrouvent dans ces versions de la littérature orale; ils se substituent aux tableaux de la dramaturgie savante. En premier lieu, le chanteur prie son auditoire de prêter attention aux faits qu'il va remémorer, puis il identifie la complainte en révélant le nom de la victime ou le lieu du drame décrit. Souvent, il situe aussi le malheur dans le temps avant d'en arriver au nœud du drame, soit la description des états d'âme ou de la lutte contre la mort. Le narrateur montre alors les sévices imposés par les étrangers ou les éléments destructeurs à l'œuvre; les privations et les mauvais traitements, la maladie ou les flots déchaînés qui s'acharnent sur la victime qui tente de résister.

Georges Arsenault, qui nous présente cette contribution à l'histoire de l'homme de l'Île-du-Prince-Édouard, eut pour maîtres deux folkloristes renommés. Au Centre d'études acadiennes de l'Université de Moncton, le père Anselme Chiasson l'initia à la recherche sur le terrain et lui fournit les données nécessaires à l'identification historique des versions relevées auprès des informateurs. À l'Université Laval, un autre spécialiste de la chanson folklorique, Conrad Laforte, allait faire bénéficier Georges Arsenault de connaissances reposant sur plus de trente ans de recherches dans le domaine de la chanson traditionnelle française, européenne et canadienne.

Ce travail a d'abord le mérite d'avoir consigné, par l'écrit et le relevé musical, des faits de culture qui allaient bientôt sombrer dans l'oubli. La plupart des bardes populaires qui ont retransmis cette geste acadienne ont un âge avancé; nous sommes redevables à Georges Arsenault de les avoir écoutés et de nous livrer aujourd'hui une partie de leurs traditions orales et musicales.

Cet ouvrage scientifique ajoute un autre chapitre à la connaissance de la culture populaire acadienne. Souhaitons que l'auteur nous fasse bientôt part du résultat de ses recherches ethnologiques à l'Île-du-Prince-Édouard sur les contes populaires, récits sur lesquels il enquête depuis déjà quelques années.

J.-C. Dupont

Centre d'études sur la langue,
les arts et les traditions
populaires (CÉLAT)
Université Laval, Québec

AVANT-PROPOS

Au printemps de 1971, alors que nous terminions notre première année d'études à l'Université de Moncton — et pendant laquelle nous entrions en contact avec le folklore acadien — nous tentions nos premières enquêtes folkloriques auprès de quelques chanteuses d'Abram-Village, notre village natal. Dès ces premières enquêtes, on nous parle de complaintes locales et nous en enregistrons quelques-unes sur bandes magnétiques. Ces chansons nous impressionnent à la fois par l'importance que leur donnent nos informateurs, et aussi par leur longueur.

Notre passion pour l'histoire et la généalogie nous incita aussitôt à vouloir situer ces complaintes dans leur contexte historique. Trois ans plus tard, alors que nous entreprenions nos études en Arts et traditions populaires à l'Université Laval de Québec en vue de l'obtention de la maîtrise, le choix d'un sujet de thèse ne nous posa aucun problème. Nous savions déjà depuis longtemps que nous voulions mener une étude sur ces chansons tragiques.

Nos recherches nous ont mené dans les principales régions acadiennes de l'Île-du-Prince-Édouard, soit dans celles des comtés de Prince et de Queens. En plus des enquêtes orales auprès de nombreux Acadiens, nous avons scruté plusieurs fonds d'archives, de nombreux journaux, un grand nombre de registres paroissiaux, etc.

Cette étude n'aurait guère pu être réalisée sans la précieuse collaboration de nombreuses personnes. Nous voulons d'abord exprimer notre gratitude à tous

nos informateurs pour l'excellente collaboration qu'ils nous ont apportée. La chaleureuse réception qu'ils nous ont chaque fois réservée a fait de nos enquêtes sur le terrain la partie la plus intéressante de nos recherches.

Nous tenons aussi à remercier le personnel de toutes les archives que nous avons visitées pour leur précieux concours, ainsi que les nombreux folkloristes qui nous ont donné accès à leur collection ou qui nous ont aidé d'une façon ou d'une autre dans nos recherches. De plus, nous voulons remercier Lisa Ornstein qui a fait la transcription musicale des complaintes, de même que Robert Bouthillier qui a vérifié ces relevés musicaux.

Enfin, nous voudrions exprimer notre plus vive reconnaissance à l'égard de M. Conrad Laforte qui a bien voulu accepter la direction de ce travail de recherche. Nous le remercions pour ses directives éclairées et pour toute l'attention et l'aide qu'il nous a apportées.

Georges Arsenault

Summerside,
Île-du-Prince-Édouard

INTRODUCTION

Les chansons folkloriques constituent une des richesses de la culture acadienne. En effet, l'Acadie est souvent considérée comme une source jaillissante de chansons folkloriques. L'isolement au long des siècles de ce petit peuple d'origine française, vivant aujourd'hui dans un pays sans frontières qu'on appelle l'Acadie, a évidemment favorisé la transmission et la conservation de cet élément de la culture traditionnelle française.

Au cours de nos enquêtes chez les Acadiens de l'Île-du-Prince-Édouard, nous avons enregistré des centaines de versions de ces chansons. Parmi ces dernières, celles qui ont d'abord retenu notre attention sont les chansons composées à l'Île même. Elles sont généralement anecdotiques, satiriques ou tragiques, relatant des faits divers d'intérêt local. Ces chansons se distinguent souvent par leur cachet plutôt ésotérique, c'est-à-dire que pour en capter pleinement le sens, il faut être au courant des faits et des circonstances qui ont entouré les événements racontés. Celles que nous retenons pour cette étude traitent d'événements tragiques arrivés aux Acadiens insulaires. Les gens les appellent « complaintes ». C'est ainsi que nous les désignerons tout au long de notre exposé.

Conrad Laforte, dans *Poétiques de la chanson traditionnelle française,* classe ces chansons à la sixième catégorie, *Chansons chantées sur des timbres,* sous la rubrique Chansons locales[1].

---

1. Conrad Laforte, *Poétiques de la chanson traditionnelle française*, Les Archives de folklore, vol. 17, Québec, P.U.L., 1976, p. 109.

Les chansons locales sont assez nombreuses dans le répertoire acadien. Marius Barbeau, le renommé folkloriste canadien, se rendit compte de cette richesse particulière du folklore acadien. À ce propos, il écrivait en 1937 :

> Le répertoire acadien, beaucoup plus que le laurentien, comprend des pièces de composition locale — peut-être plus de vingt pour cent. Ces manifestations d'art rustique, tout intéressantes qu'elles puissent être, sont dépourvues de style autant que de grammaire. Comme celles du même genre, mais relativement moins nombreuses, que nous retrouvons sur le Saint-Laurent...[2]

L'étude de la chanson locale présente, à notre avis, un intérêt de tout premier ordre. D'abord, ce genre de poésie orale constitue une partie importante de notre littérature populaire. De plus, ces documents oraux sont un apport très important à la petite histoire, voire à l'histoire de la culture acadienne. Ils nous renseignent abondamment sur la mentalité, les mœurs et les préoccupations de ce peuple longtemps ignoré et mal connu.

Les Acadiens insulaires semblent avoir cultivé d'une façon toute particulière la complainte locale. Tout au long de nos enquêtes, nous avons pu constater chez nos informateurs un profond attachement à ces chansons à caractère tragique. Nous ne voulons pas dire par là que ce genre seul foisonne dans leur répertoire. Cependant, nous croyons que les vingt et un spécimens recueillis attestent remarquablement leur présence.

Les compositions originaires de l'Île-du-Prince-Édouard gravitent autour d'un nombre restreint de thèmes, la plupart traitant de noyades. En effet, treize de ces complaintes, soit environ soixante-deux pour cent

---

2. Marius Barbeau, *Romancéro du Canada,* [Montréal], Éditions Beauchemin, 1937, p. 184.

du corpus, racontent les derniers moments d'hommes qui périrent en mer. De ces victimes, au moins sept étaient pêcheurs.

Le thème de la mort en mer[3] reflète très bien cette angoisse tout à fait présente dans la vie des peuples côtiers. Il est normal qu'elle soit traduite dans leur tradition orale. À ce sujet, Geneviève Massignon écrivait: «La tradition populaire, dans les régions maritimes, reflète l'influence de son milieu naturel. On recueille sur les côtes, et particulièrement dans les îles, des chansons relatives à des voyages en mer, à des naufrages, à des combats[4].» Geneviève Massignon dit avoir remarqué la présence de cette tradition en France dans les îles de Noirmoutiers et d'Yeu, et sur le littoral vendéen[5].

Les chansons sur des morts accidentelles, autres que les noyades, composent la seconde catégorie importante. Ainsi, ce thème représente environ vingt-trois pour cent du répertoire. La mort, survenue à la suite d'une collision de train, d'un accident de cheval, de la chute d'un arbre sur un bûcheron et d'accidents dans divers chantiers, sont autant de sujets traités dans ce deuxième groupe.

Quant aux derniers quinze pour cent, ils regroupent divers thèmes tels un meurtre, un décès à la suite d'une maladie et une émigration forcée.

Nous présentons ici la liste de ces complaintes dans un ordre chronologique. La date précédant le titre indique celle de l'événement relaté. Nous noterons en parcourant cet inventaire que cinq complaintes ont débordé les barrières géographiques que constituent

---

3. L'ethnologue Jean-Claude Dupont, dans son livre *Héritage d'Acadie* (Montréal, Leméac, 1977), traite de ce genre de complaintes dans un chapitre qu'il intitule, «La geste des morts en mer», pp. 19-54.
4. Geneviève Massignon, «Chants de mer de l'Ancienne et de la Nouvelle France», *Journal of the International Folk Music Council*, volume XIV (1962), p. 74.
5. *Ibid.*

le détroit de Northumberland et le golfe du Saint-Laurent. On peut ainsi les retrouver dans le répertoire de chanteurs traditionnels, notamment du Nouveau-Brunswick, des îles de la Madeleine et de la Gaspésie.

1812. *Xavier Gallant — Le meurtrier de sa femme.* Anonyme. Vingt-cinq versions recueillies à l'Île-du-Prince-Édouard, au Nouveau-Brunswick et au Québec. *Sujet* : Xavier Gallant tue son épouse, Madeleine Doucet, à Malpèque.

1812-1815 *(circa).* *L'exode des Acadiens de la Baie de Malpèque.* Composée par Julitte Arsenault. Quatre versions recueillies à l'Île-du-Prince-Édouard. *Sujet* : Les causes et les conséquences du départ des Acadiens de Malpèque pour aller fonder la paroisse de Baie-Egmont.

1837 *(circa).* *Pascal Poirier.* Anonyme. Quatre versions fragmentaires recueillies à l'Île-du-Prince-Édouard. *Sujet* : Noyade de Pascal Poirier, de Tignish, en traversant le détroit de Northumberland.

1850. *Trois jeunes hommes noyés.* Anonyme. Sept versions recueillies à l'Île-du-Prince-Édouard et au Nouveau-Brunswick. *Sujet* : Noyade des frères Zéphirin et Paul Poirier, et de leur beau-frère, Jean Cormier, tous de Baie-Egmont.

1862. *Firmin Gallant.* Anonyme. Huit versions recueillies à l'Île-du-Prince-Édouard et au Nouveau-Brunswick. *Sujet* : Noyade de Firmin Gallant, un jeune pêcheur de Rustico.

1872 *(circa).* *Naufrage en revenant de Boston.* Anonyme. Une version fragmentaire recueillie à l'Île-du-Prince-Édouard. *Sujet* : Noyade de l'équipage d'une goélette revenant à l'Île, en provenance de Boston. Parmi les membres de l'équipage, il y avait Sylvain et Gilbert Gallant, Éric Perry, tous trois de Cascumpec, «et tous leurs amis».

1890 *(circa).* *Pierre Arsenault.* Composée par Émilie Bernard de Baie-Egmont. Sept versions recueillies à

l'Île-du-Prince-Édouard et au Nouveau-Brunswick. *Sujet*: Noyade aux États-Unis de Pierre Arsenault, natif de Baie-Egmont.

1890. *Agape Richard.* Anonyme. Deux versions recueillies à l'Île-du-Prince-Édouard. *Sujet*: Noyade d'Agape Richard, de Palmer Road, et de deux autres membres de l'équipage de la goélette *Richard-Thompson* qui coula lors d'une tempête, entre Pictou, Nouvelle-Écosse, et Summerside, Île-du-Prince-Édouard.

1890. *Adèle Doucette.* Composée par son beau-frère, William Doucette. Trois versions recueillies à l'Île-du-Prince-Édouard. *Sujet*: Madame Jean Doucette (née Adèle Perry), de Palmer Road, meurt de consomption.

1892. *François Richard.* Anonyme. Deux versions recueillies à l'Île-du-Prince-Édouard. *Sujet*: Mort accidentelle de François Richard, de Mont-Carmel, survenue à Rumford Falls aux États-Unis.

1892. *Jérôme Maillet.* Composée par Laurent Doucette de la paroisse de Palmer Road. Vingt-quatre versions recueillies à l'Île-du-Prince-Édouard, en Nouvelle-Écosse, au Nouveau-Brunswick, au Québec et au Maine. *Sujet*: Mort du bûcheron Jérôme Maillet, de Palmer Road, à la suite d'un accident dans un chantier forestier du Maine.

1895. *Joseph Arsenault.* Composée par Sophique Arsenault de Baie-Egmont. Deux versions recueillies à l'Île-du-Prince-Édouard. *Sujet*: Noyade du pêcheur Joseph Arsenault et de son aide, Camille Gallant, tous deux de Baie-Egmont.

1897. *Joachim Arsenault.* Anonyme. Deux versions recueillies à l'Île-du-Prince-Édouard. *Sujet*: Noyade du pêcheur Joachim Arsenault, de Baie-Egmont.

1900-1903. *Jean Arsenault.* Anonyme. Deux versions recueillies à l'Île-du-Prince-Édouard. *Sujet*: Mort accidentelle de Jean Arsenault, surnommé «Jack Blishe», de Baie-Egmont, et de sa fille, Théo-

tisse, qui le suivit dans la tombe quelques années plus tard, à la suite d'une maladie.

1912. *Jean-François Cormier.* Composée par Sophique Arsenault de Baie-Egmont. Une version recueillie à l'Île-du-Prince-Édouard. *Sujet:* Noyade de Jean-François Cormier, survenue lorsqu'il était en route pour les chantiers forestiers.

1915. *Les deux noyés de Tignish.* Composée par Madame Pierre Poirier, née Isabelle Gaudet. Une version recueillie d'un informateur originaire de Tighish qui habite maintenant en Nouvelle-Écosse. *Sujet:* Noyade des pêcheurs Marc Perry et Michel Provost, de Tignish.

1925. *Alex Tremblay.* Début d'une complainte composée par Joseph Chiasson et son épouse, de Palmer Road. Une version recueillie de Madame Chiasson. *Sujet:* Mort accidentelle d'Alex Tremblay, de Palmer Road.

1932. *L'accident de train à Tignish.* Composée par André Arsenault de Tignish. Une version recueillie à l'Île-du-Prince-Édouard. *Sujet:* Un accident de train survenu près de Tignish et qui fit quatre morts et onze blessés.

1953. *Aimé Arsenault.* Composée par Madame Alyre Maddix, née Léah Aucoin, et recueillie d'elle. *Sujet:* Noyade du jeune pêcheur Aimé Arsenault, de Baie-Egmont.

1976. *Francis Arsenault.* Composée par Madame Alyre Maddix, née Léah Aucoin, et recueillie d'elle. *Sujet:* Noyade de Francis Arsenault, 19 ans, de Baie-Egmont.

(Date inconnue). Les deux noyés de Saint-Jacques. Anonyme. Seulement un couplet recueilli à l'Île-du-Prince-Édouard. Composée avant 1924. *Sujet:* Noyade de deux personnes de la paroisse de Saint-Jacques (Baie-Egmont).

Ces vingt et une complaintes ne constituent certes pas les seules que les Acadiens de l'Île auraient composées. Au contraire, elles représentent seulement celles qui ont été favorisées par la tradition orale et que les folkloristes, ou autres personnes intéressées, ont réussi à recueillir. Combien d'autres de ces chansons furent composées par les Acadiens insulaires? Qui pourra le dire? Il est possible, toutefois, qu'au cours d'enquêtes futures, on réussisse à en découvrir qui nous sont jusqu'à présent inconnues. Cependant, il y en a qui n'ont pas été choyées par la tradition et qui sont probablement perdues à jamais. Cela semble avoir été le sort des sept énumérées ci-dessous. De celles-ci, nous n'avons recueilli que des témoignages ou certains indices nous révélant leur existence.

1821. *Incendie de l'église de Baie-Egmont.* Le père John C. MacMillan nous apprend, dans son livre intitulé *The Early History of the Catholic Church in Prince Edward Island*, qu'une chanson fut composée sur ce sujet[6].

1909. *Alexis Gallant.* Selon plusieurs informateurs, Sophique Arsenault aurait composé une complainte sur le pêcheur Alexis Gallant de Saint-Chrysostome, Baie-Egmont, noyé le 3 juillet 1909 en revenant de la pêche au homard[7].

1915. *Bruce Barlow.* Sophique Arsenault aurait également composé une complainte sur le suicide par pendaison de Bruce Barlow, de Wellington, le 20 octobre 1915.

1916 *(circa). Joseph DesRoches.* La noyade de Joseph DesRoches, de Tignish, fut l'objet d'une com-

---

6. Rev. John C. MacMillan, *The Early History of the Catholic Church in Prince Edward Island,* Québec, 1905, pp. 210-211.
7. Noyade rapportée dans *L'Impartial,* le 6 juillet 1909, p. 3.

plainte composée par le frère du noyé, Frank Des-Roches[8].

1919. *Benjamin Gallant.* Il est encore question d'une composition de Sophique Arsenault. Benjamin Gallant, de Baie-Egmont, est mort accidentellement dans un chantier de construction, à Moncton[9].

1935. *Arsène Arsenault.* Cette complainte traitait de la noyade du pêcheur Arsène Arsenault, survenue à Baie-Egmont le 12 août 1935. Elle fut composée par Madame Lamand Richard, née Madeleine Arsenault[10].

En plus de ces complaintes qui ont vu le jour à l'Île, huit autres, composées à l'extérieur de la province, sont connues des chanteurs insulaires ou ont déjà fait partie de leur répertoire. Il s'agit de *Cadieux, Beaudoin (Louis), Complainte du Vanilia, Alphonsine, fille de 18 ans, noyée le 20 mai, Nous sommes partis trois frères: La fièvre, McCarthy, La tuberculeuse au sanatorium*[11], et de celle sur la mort de Jean Richard de Rogersville[12].

Un examen de la chronologie de ces compositions s'avère intéressant. Pour la période qui précède l'année 1850, nous en comptons quatre, dont trois seulement nous sont parvenues. La deuxième moitié du XIXe siècle (1850-1900) est la période la mieux représentée. Elle nous en a fourni dix. À remarquer que la

---

8. Renseignements obtenus de M. Léo Gallant. Voir coll. Georges Arsenault, enreg. 1192.
9. Voir un reportage de cet accident dans *L'Évangéline,* le 25 août 1919, p. 8.
10. Renseignement de la fille d'Arsène Arsenault, Madame Albénie Gallant de Cap-Egmont, Mont-Carmel.
11. Tous ces titres sont conformes au *Catalogue de la chanson folklorique française* de Conrad Laforte (Québec, Les Presses de l'Université Laval, 1958).
12. Coll. Georges Arsenault, enreg. 1134. Cette chanson ne figure pas au *Catalogue de la chanson..., op. cit.*

décennie 1890-1900 fut particulièrement féconde, nous léguant ainsi sept de ces chansons tragiques. Le XXe siècle, pour sa part, a été lui aussi assez productif. Douze complaintes ont été signalées pour cette période, mais seulement sept d'entre elles ont pu être recueillies.

Notre étude de ce répertoire comprend deux parties. Dans la première, nous étudierons le contenu, les auteurs et la transmission des complaintes. Quant à la deuxième partie, nous y présentons le texte de ces chansons, y compris des études détaillées sur les deux plus anciennes, à savoir : *Xavier Gallant — Le meurtrier de sa femme* et *L'exode des Acadiens de la Baie de Malpèque.*

PREMIÈRE PARTIE

La tradition de la complainte locale

CHAPITRE PREMIER

L'art de la complainte

Dans le cadre de ce premier chapitre, nous nous arrêterons pour étudier le contenu artistique des complaintes. Ainsi, par un examen du scénario, de la forme et du style, nous tenterons de faire ressortir les caractéristiques et l'originalité de ces chansons.

1. Le scénario

Une étude attentive du corpus nous révèle que dans la plupart des complaintes, le scénario évolue principalement sur deux plans, le plan narratif et le plan émotif. De plus, chaque complainte comprend généralement trois autres parties nettement repérables que nous appellerons l'invitation, l'introduction et la conclusion. Voyons ce qui caractérise chacune de ces parties.

L'invitation

Plusieurs complaintes débutent par une invitation par laquelle le chanteur prie les gens d'écouter sa chanson. Elle se traduit le plus souvent par un incipit-cliché du genre «Venez écouter la complainte que je m'en vas vous chanter[1]», ou «Approchez-vous si vous voulez entendre...[2]».

L'introduction

L'introduction peut englober d'un à quatre couplets et même davantage. C'est une entrée en matière

---

1. *Les deux noyés de Tignish*, coll. Georges Arsenault, enreg. 451.
2. *Jean-François Cormier, ibid.*, enreg. 25.

où on distingue quatre éléments principaux. Le premier annonce, d'une façon plus ou moins précise, la trame de la chanson. Ainsi, dans le cas d'un accident mortel, l'auditoire en sera averti dès les premiers vers, annulant ainsi toute possibilité de créer du suspense. Cette façon de faire a également été notée dans les complaintes anglaises («*ballads*») de l'Amérique du Nord. Une autorité en cette matière, G. Malcolm Laws, écrit à ce sujet:

> Le suspense ne constitue pas un aspect important dans la construction des ballades locales. Ceux qui sont habitués aux *Child ballads,* tels «Lord Randall» et «Edward», où le point culminant est toujours différé, pourront être déçus en se rendant compte que les ballades américaines empruntent habituellement le style journalistique de dire une histoire. Cela consiste à révéler, dès le premier couplet, ce qui est arrivé, quitte à raconter l'histoire en détail par la suite.[3]

L'identification de la victime constitue une deuxième composante de l'introduction. Cependant, l'identification reste souvent incomplète. La plupart du temps, elle sera restreinte à des expressions telles que «un brave jeune homme», ou encore à la mention de l'âge de la personne en question: «C'est un garçon de dix-neuf ans.»

Un troisième élément situe l'événement dans le temps et dans l'espace. Certaines complaintes feront connaître, dans cette partie, la date à laquelle eut lieu le triste incident. Le jour, le mois, l'année, ou même deux de ces éléments, manqueront parfois à l'intégralité de cette date.

En ce qui a trait à la localisation, elle aussi sera plus ou moins précise selon la chanson. Dans certains

---

3. G. Malcolm Laws, *Native American Balladry. A Descriptive Study and a Bibliographical Syllabus,* revised edition, Philadelphia, The American Folklore Society, 1964, p. 33. Traduction de l'auteur.

cas, on fera connaître le nom de la paroisse natale de la victime ou on dira simplement qu'elle est de l'Île-du-Prince-Édouard ou de l'île Saint-Jean. Par ailleurs, lorsque la mort sera arrivée à l'extérieur de l'Île, on identifiera vaguement l'endroit. On dira par exemple, sans préciser davantage, que le malheur s'est produit aux États-Unis.

La quatrième composante a pour objet le départ. Ce thème figure dans presque toutes les complaintes. Le plus souvent il est question d'un départ pour le travail quotidien, pour un voyage, ou encore d'un départ pour les États-Unis à la recherche d'un emploi.

Les deux premiers couplets de la complainte *Aimé Arsenault* sont un bon exemple de ce à quoi peut ressembler l'introduction. Ces deux strophes comptent, pour leur part, quatre des éléments décrits ci-dessus:

Oh! venez écouter chanter
La chanson que j'ai composée.
C'est dans l'village d'Egmont-Baie
Une triste nouvelle est arrivée,
Ça nous fait voir que Dieu tout-puissant
À le pouvoir sur toutes ses enfants.

C'est un garçon de vingt-sept ans
Qui paraissait fort bien prudent,
S'en est allé pour travailler
Il était engagé pour pêcher.
Mais il avait pas dans l'idée
La mort funeste qui lui est arrivée.[4]

Le plan narratif

L'ensemble des éléments narratifs constitue la partie la plus essentielle à la composition d'une complainte. Ce sont en effet ces éléments qui forment la base de la chanson, c'est-à-dire le récit d'un événement quelconque.

Les différentes étapes du drame sont le plus souvent rapportées par l'entremise d'un narrateur. S'il est

---

4. Coll. Georges Arsenault, enreg. 21.

question d'une noyade, par exemple, le narrateur pourra dire, et parfois en assez de détails, comment l'accident s'est produit. Il parlera ensuite des recherches entreprises pour trouver le cadavre, et s'il y a lieu, en rapportera la trouvaille. Il racontera également les réactions de la famille de la victime en apprenant la triste nouvelle, et enfin, il parlera des funérailles en soulignant qu'elles furent imposantes et que l'assistance fut nombreuse.

À l'occasion, l'auteur animera davantage le reportage en donnant la parole à la victime, ou à d'autres personnes, qui à leur tour feront connaître des détails du drame qu'ils ont vécu. On retrouve cet élément théâtral dans bon nombre de complaintes. L'extrait suivant, tiré de la chanson composée sur la mort du bûcheron Jérôme Maillet, est un excellent exemple:

«Il nous faut mes amis, oh! vite aller chercher
Le docteur le plus proche et l'amener ici.»
Et le docteur alors, qu'ils ont tant désiré
S'approche du malade, il est fort attristé.

«Je vous dis mes amis, oh! je ne crois pas
Que ce brave jeune homme meurt de cela.»
Mais souvent l'homme de science s'est bien souvent
[trompé
Parce que deux mois plus tard il était décédé.

Auprès de son lit son frère Georges est assis,
Il lui a dit: «Jérôme, regrettes-tu de mourir?
— Tout ce que je regrette, cher frère avant d'mourir,
C'est d'voir mon père, ma mère qui m'avont tant
[chéri.

— Jérôme console-toi car tu ne peux pas
Revoir ceux qu'tu veux voir, hélas! console-toi.
Car ceux que tu veux voir sont éloignés d'ici
Mais espère de les voir un jour en Paradis.

— Puisqu'il faut, cher frère, me soumettre à la mort,
Tu enverras mon corps c'est dans notre pays.
Je voudrais en Terre Sainte y être enterré
Avec tous mes amis qui m'avont tant chéri.»[5]

---

5. Coll. Georges Arsenault, enreg. 19.

26

Le plan narratif ne revêt pas le même degré d'importance dans tous les textes que nous avons étudiés. Dans certains, tels *Xavier Gallant — Le meurtrier de sa femme* et *L'accident de train à Tignish,* la narration domine nettement, l'auteur livrant peu ses sentiments. Voici, à titre d'exemple, un extrait de la complainte composée à la suite d'une collision de train qui s'est produite près de Tignish en 1932 :

3. C'était un char à dégager
    Dans une roue d'neige était bloqué. *bis*

4. Les gens de Tignish sont allés,
    Ils sont allés pour travailler. *bis*

5. Le froid — z — et le mauvais temps
    Accâblaient bien ces pauvres gens. *bis*

6. Dans le char il fallait entrer
    C'est pour s'empêcher de geler. *bis*

7. Étiont après de se chauffer
    Quant que l'express est arrivé. *bis*

8. Le premier il a culbuté,
    Onze personnes ont été blessées. *bis*

9. Quatre furent blessées si gravement
    Qu'a fallu mourir sur le champ. *bis*

10. La nouvelle elle fut envoyée
     À les parents de ces blessés. *bis*

11. Ce fut une grande excitâtion
     Pour les amis et les parents. *bis*

12. Le curé, il fut informé
     De l'accident qu'est arrivé. *bis*

13. Lorsqu'il était bien tard le souère
     Le bon curé s'fit un devouère. *bis*

14. C'est d'aller vouère ces chers mourants
     Et leur porter les sacrements.[6] *bis*

Par ailleurs, en éliminant tous les vers qui ne sont pas narratifs dans certaines autres complaintes, on

---

6. Coll. Georges Arsenault, enreg. 977.

couperait parfois ces textes de moitié. Ce serait le cas dans *Firmin Gallant, Pierre Arsenault* et *Joachim Arsenault,* où l'élément émotif occupe une place d'importance.

Le plan émotif

Le plan émotif confère à la complainte un caractère plaintif qui justifie, pourrait-on dire, le terme «complainte». Il est, plus souvent qu'autrement, intimement lié au plan narratif. L'auteur cherche même à utiliser dans le développement de son récit des expressions sombres et émouvantes. L'élément émotif est cependant beaucoup plus que cela. Il comprend surtout les adieux du mourant, des consolations et des sympathies aux parents et amis éprouvés, des considérations sur l'au-delà et des prières à Dieu, aux anges et aux saints.

Ces interventions ne tiennent pas une place bien définie dans la structure des complaintes. Elles surgissent ici et là dans le texte venant parfois interrompre soudainement la narration. Un bon exemple de cet entrelacement du plan émotif et du plan narratif figure dans la complainte *Trois jeunes hommes noyés.* Nous avons mis en italique les éléments émotifs pour mieux les faire ressortir.

3. La nuit commencée,
    Le mauvais temps élevé,
    La pluie et le vent
    Épeuraient ces chers enfants.
    Le mouillage a cassé,
    La berge a bien marché,
    Elle était bien conduite
    C'est par Jésus et Marie.
    Voyez comme ces navigateurs
    Pensiont à leur malheur.

4. *Dans notre misère*
    Pensions à notre devoir.
    Le Dieu de bonté
    Que nous avons offensé,

Offrons-nous tous à lui.
Père et mère et parents,
Priez Dieu pour vos enfants.
Adieu donc nos bien-aimés,
Ceux qui sont peinés
De les voir(e) décédés.

5. Sur la deuxième heure du jour
   La berge marchait toujours.
   Elle prit sa bordée
   Craignant toujours d'abîmer.
   Ils disiont tous les trois :
   «*Grand Dieu! pardonnez-nous,*
   Sainte Vierge Marie
   Je crois donc j'allons périr. »
   Le gouvernaille a manqué
   Et la berge a versé.[7]

Il arrive aussi que le pathétique se présente sous la forme de prosopopée. L'auteur se transpose, pour ainsi dire, dans la peau de son personnage et tente d'exprimer les pensées de celui-ci à l'heure de sa mort. En voici un exemple tiré de *Joachim Arsenault*:

3. Mon Dieu! quel triste sort,
   C'est dans la mer se voir,
   Aucune main secourable
   Ne venait le secourir.
   Il fait un grand soupir,
   Dit : «Jésus et Marie,
   Puisque c'est dans ces bas lieux
   Je rends mon âme à Dieu.

4. Ô toi, cruelle mort,
   Tu m'affliges bien alors.
   Donnez-moi donc le temps
   De recevoir les sacrements,
   C'était là mon désir
   Avant de mourir.
   Puisque c'est ma destinée,
   Ô de moi ayez pitié,
   Faites que je puisse, grand Dieu,
   De m'envoler vers les cieux.

---

7. AF, coll. J.-Thomas LeBlanc, ms. n° 773.

5. Le temps est venu,
   C'est aujourd'hui qu'il faut partir.
   Je suis venu à toi
   Par l'ordre du divin Roi.
   Étant bien préparé,
   Tu viendras chanter
   Avec tous les élus:
   Gloire à Dieu et à Jésus,
   Car c'est le sort trop heureux
   Qui nous attend aux cieux.

6. Laissez-vous fléchir
   Par votre mère chérie
   Qui vous présentera
   Mon âme entre vos bras.
   Tout pécheur que je sois
   Je prie toute ma vie.
   Marie, daigne m'assister
   Au moment du danger,
   Jugez-moi dans vos bontés
   Non comme j'ai mérité.»[8]

La conclusion

La conclusion est une partie plus ou moins succincte qui ne compte jamais plus que deux strophes. Elle n'est toutefois pas dépourvue de substance pour autant.

Un élément souvent présent est celui de l'avertissement. L'auteur rappelle à ses auditeurs qu'un malheur semblable pourrait bien leur arriver. Aussi, leur rappelle-t-il la puissance de Dieu qui peut à tout moment mettre fin à la vie.

Un autre élément consiste à identifier la victime si cela n'a pas été fait ailleurs dans la chanson. Remarquons cependant que les victimes sont souvent identifiées par seulement leur prénom. Dans quelques cas, elles restent anonymes.

L'auteur, pour sa part, s'identifie rarement et surtout jamais complètement. Savons-nous tout au plus

---

8. CCECT, coll. père Pierre-Paul Arsenault, ms. 15.

par les textes que «la petite Julitte» composa *L'exode des Acadiens de la Baie de Malpèque* et que *Joachim Arsenault* et *Les deux noyés de Tignish* sont les œuvres de personnes apparentées aux disparus.

En terminant, l'auteur supplie souvent les gens de prier pour l'âme du défunt. Aussi, certains s'excusent et expliquent que la chanson fut composée pour perpétuer la mémoire du disparu.

Comme exemple, voici la conclusion de la complainte *Les deux noyés de Tignish* :

De sur terre et de sur mer
    nous y sommes toutes exposés,
l' en a pas un parmi nous
    sans qu'il soit dans le danger.
Tiennons-nous bien sur nos gardes
    et soyons bien préparés
Car une mort semblable
    pourra bien nous arriver.

Qui c' qu'en a fait la complainte?
    c'est une de leur parenté.
Elle était là (i) elle-même
    quant qu' leurs corps ont 'té trouvés.
Elle aussi elle vous demande
    un Pater et un Avé
Pour le repos de leurs âmes,
    vous en serez récompensés. [9]

2. La forme

Dans la suite de ce chapitre, nous étudierons l'aspect technique des complaintes. Ainsi, nous discuterons de formule strophique, de prosodie et de versification.

La formule strophique est en étroite relation avec la mélodie dans le sens que l'auteur compose ses vers sur une mélodie qu'il connaît. Cet air, il ne le crée pas de toutes pièces mais l'emprunte plutôt à une chanson

---

9. Coll. Georges Arsenault, enreg. 451.

déjà existante. Nous pourrions comparer la technique de composition des auteurs de nos complaintes à celle de leurs correspondants français, c'est-à-dire aux artisans des chansons traditionnelles françaises. Selon Patrice Coirault, ces derniers composaient rarement leurs propres mélodies :

> La mélodie populaire ancienne, devenue ou non folklorique, a eu constamment son origine dans un air préexistant, aux rythmes de qui les paroles de la chanson ont adapté leur allure (ou inversement). De toute façon une mélodie folklorique dérive d'un antécédent musical; de par son principe elle est œuvre seconde. [10]

Ailleurs, Coirault avance que 99 fois sur 100, l'air d'une chanson populaire « est d'abord attribuable à l'évolution d'un timbre[11] ».

Nous avons réussi à identifier un certain nombre de timbres qui ont servi à nos complaintes. La plupart sont des airs de chansons folkloriques telles *Amants séparés par le père et la mère (Jérôme Maillet), Dans tous les cantons (Trois jeunes hommes noyés, Joachim Arsenault), Noces — Adieu de la mariée (Adèle Doucette, Les deux noyés de Tignish), La vieille sacrilège (Jean-François Cormier)*, etc. Aussi, les auteurs prenaient quelquefois les airs de complaintes préexistantes. Ce fut le cas de *Aimé Arsenault* qui emprunta sa mélodie à celle de *François Richard*. Notons également que les complaintes sur Pierre Arsenault et Joseph Arsenault se chantent sur le même timbre. Chose intéressante, cette mélodie est aussi celle de la complainte intitulée *Edgar,* probablement composée dans le comté de Gloucester, Nouveau-Brunswick, où elle fut recueillie[12].

---

10. Patrice Coirault, *Formation de nos chansons folkloriques*, Paris, Éd. du Scarabée, 1953, p. 48.
11. *Ibid.,* p. 47.
12. AF, coll. Luc Lacourcière et F.-A. Savard, enreg. 1089; coll. J.-Thomas LeBlanc, ms. n° 763.

Les complaintes ne se contentent pas toujours d'une seule mélodie. De fait, les deux versions recueillies de *Joachim Arsenault* n'ont pas le même air. Quant à *Firmin Gallant,* les cinq versions enregistrées sur bandes magnétiques sont chantées sur un timbre de *Le cou de ma bouteille*[13], alors que la mélodie qui accompagne la version manuscrite provenant de la collection du père Pierre-Paul Arsenault, est celle du cantique *Au sang qu'un Dieu va répandre*[14].

Mais revenons à la formule strophique. Dans le présent répertoire, le quatrain s'avère la forme la mieux représentée. Outre celle-ci, l'on retrouve des exemples de strophes de 2, 3, 6, 7, 8 et 10 vers.

Les règles prosodiques ne semblent pas être celles qui obligent le plus nos auteurs. Au contraire, un grand nombre d'entre eux ne verront pas d'inconvénients à placer tantôt deux ou trois syllabes sur une même note, tantôt plusieurs notes sur une seule syllabe. Encore, ajouteront-ils parfois un «e» à la fin de certains mots pour créer des syllabes supplémentaires, leur facilitant ainsi l'interprétation musicale du vers.

En négligeant les irrégularités prosodiques que l'on retrouve dans bon nombre de couplets, on peut dire que la majorité des complaintes que nous étudions sont composées de strophes isométriques comptant sept, huit, dix, douze, quatorze, quinze et seize syllabes. Par ailleurs, quelques complaintes présentent des strophes hétérométriques. C'est le cas de *Trois jeunes hommes noyés* et *Joachim Arsenault* qui se chantent sur le timbre, *Dans tous les cantons*. Leurs couplets comptent chacun dix vers organisés selon la formule suivante: 5-7-5-7-6-6-6-7-7-6.

---

13. Voir la version publiée par les pères Anselme Chiasson et Daniel Boudreau dans *Chansons d'Acadie,* 4ᵉ série, s.l.n.d., p. 37.
14. Pour une excellente étude de ce timbre, voir Luc Lacourcière, «Le Général de Flipe [Phipps], *Cahier des Dix*, Québec, Les Éditions des Dix, 1975, n° 39, pp. 252-259.

Quant à la forme strophique de *L'exode des Acadiens de la Baie de Malpèque,* elle est unique en son genre. Cette chanson est composée de deux airs distincts et deux genres de strophes de six vers. Ainsi, les onze premiers couplets, qui se chantent sur une première mélodie, sont hétérométriques (10-10-5-6-5-6), alors que les quatre derniers, composés sur un deuxième timbre, sont isométriques, chaque vers mesurant huit pieds.

Pour ce qui est de la rime utilisée dans l'ensemble des complaintes, celle dite sans alternance est la plus fréquente. La rime croisée figure aussi, mais seulement dans deux textes, *Firmin Gallant* et *L'exode des Acadiens de la Baie de Malpèque.*

Généralement, la rime est plutôt élémentaire. Cela est tout à fait normal pour ce genre de poésie orale. N'oublions pas que les complaintes sont avant tout, pour ne pas dire uniquement, composées pour l'oreille. À l'appui, considérons les cas où l'assonance n'est sensible qu'à la prononciation dialectale. Un exemple tiré de *L'accident de train à Tignish* démontrera bien ce phénomène :

> Ce fut une grande excitati*on* [ã]
> Pour les amis et les par*ents*. [ã][15]

3. Le style

Nous avons déjà discuté dans la première partie de ce chapitre de certains éléments propres au style des complaintes. Nous avons, entre autres, souligné l'importance que revêt l'aspect narratif et émotif, et nous avons fait remarquer en particulier l'élément théâtral et les prosopopées qui caractérisent le style de certaines de ces chansons. Nous chercherons maintenant à déceler d'autres de ces éléments.

Les figures de style ne sont pas nombreuses dans nos chansons tragiques. Les quelques exemples que

---

15. Coll. Georges Arsenault, enreg. 977.

nous avons relevés proviennent surtout de ces complaintes qui frisent le littéraire et qui furent composées par des personnes possédant probablement un certain niveau d'instruction. Voilà le cas de *Firmin Gallant* où l'on retrouve un certain nombre de belles métaphores et des comparaisons dont voici quelques exemples :

« Mon corps est la nourriture
De tous les monstres des eaux,
Comme il serait la pâture
Des vers au fond d'un tombeau... [16]

« Que vous serez fort surpris
D'apprendre que dans ma force
Je me suis fait emporter
Comme une légère écorce
Que le vent souffle à son gré. » [17]

Rappelons-nous que *Firmin Gallant* est une des deux complaintes où la rime croisée est employée. Son auteur nous est inconnu, mais de par son style nous voulons croire qu'il s'agissait d'un lettré.

Le vocabulaire des complaintes est ordinairement concret et direct. Généralement, le parler quotidien domine et nous pouvons même dire que le parler acadien est bien représenté. On le retrouve autant sur le plan du vocabulaire et de la conjugaison des verbes qu'au niveau de la prononciation. Ce dernier aspect se fait surtout sentir à la rime comme nous l'avons déjà constaté. Voici quelques exemples :

Pascal Poirier

Ah! cet aimable Pascal(e) voyant son épouse à l'eau,
Il s'écrie, il vorse des larmes, et ça fut que des
[sanglots.
Mais malgré sa grand' misère il la tenait par un pied,
Malheureux sa destinée, elle se sauve, lui s'a néyé. [18]

---

16. Coll. Georges Arsenault, enreg. 23.
17. *Ibid.*
18. *Ibid.*, enreg. 1132.

Jérôme Maillet
Il a bien souffri pendant deux mois entiers
Sans pouvoir y revoir ce qu'il désirait tant.
On appela un prêtre, on alla pour le qu'ri',
Il ne veut pas venir car c'est pas son pays. [19]

L'auteur a souvent recours à des expressions qui ne sont pas de son propre cru. Il se permet d'emprunter un peu partout des expressions toutes faites qu'il adapte au besoin à son poème. Il se sert souvent, par exemple, d'expressions types telles que, «Oh! venez écouter chanter» dans l'introduction de sa chanson, ou encore «Si vous désirez de savoir le nom de ce cher enfant», en la terminant. À l'occasion, ce sera tout un couplet, et parfois même plusieurs, qu'il ira chercher à une autre complainte. Ainsi, les vers suivants, tirés de *Jérôme Maillet,* figurent dans *Pierre Arsenault* et dans *Jean-François Cormier* de façons bien semblables:

Sa mère se jette à genoux: «Ô Vierge, secourez-
[nous!
Ayez pitié de nous car je m'adresse à vous.
Prenez part à nos peines, priez votre cher Fils,
Que notre enfant jouisse de son saint Paradis.» [20]

Le religieux occupe une place importante dans les complaintes, ce que démontre bien les nombreuses expressions employées. Celles-ci se présentent le plus souvent en tant que prières adressées au ciel par la victime, par ses parents, ou parfois même par l'auteur, et ce, à titre de narrateur. La Vierge Marie est celle que l'on invoque le plus souvent. Les quelques exemples suivants suffiront à illustrer ce type d'expressions:

Pierre Arsenault
Ô Sainte Vierge! ô Mère protectrice!
De votre enfant soyez médiatrice.

---

19. Coll. Georges Arsenault, enreg. 19.
20. *Ibid.,* ms. n° 209.

Votre cher fils veuillez intercéder,
De ses péchés que Dieu daigne lui pardonner. [21]

Firmin Gallant

« Et vous, ô ma tendre mère
Qui habitez dans les cieux,
Par vos puissantes prières
Arrachez-moi de ce lieu. » [22]

« Mon bon ange tutélaire
Vous qui guidez tous mes pas,
Offrez à Dieu mes prières
Afin qu'il me perde pas. » [23]

Joachim Arsenault

« Tout pécheur que je sois
Je prie toute ma vie.
Marie, daigne m'assister
Au moment du danger,
Jugez-moi dans vos bontés,
Non comme j'ai mérité. » [24]

Il est probable, à notre avis, que ces expressions proviennent, ou aient été inspirées de cantiques ou de prières. Nous avons tenté de les retracer, mais sans succès [25].

Quelques auteurs se sont aussi inspirés du vocabulaire et du style des nécrologies publiées dans les

---

21. Coll. Georges Arsenault, enreg. 651.
22. *Ibid.,* enreg. 23.
23. *Ibid.*
24. CCECT, coll. père Pierre-Paul Arsenault, ms. n° 15.
25. Nous avons lu le *Recueil de Cantiques à l'usage des Missions, Retraites et Cathéchismes* (10e édition, Québec, 1833, 102 p.), ainsi que Laurent Durand, *Cantiques de l'âme dévôte, dit de Marseille... accommodés à des airs vulgaires,* nouvelle édition augmentée, Paris, Thiérot, 1854, 384 p. Nous avons aussi fait un relevé de toutes ces expressions que nous avons distribué à quelques personnes afin de voir si elles réussiraient à les associer à des cantiques ou à des prières. Nous voulons ici remercier les personnes suivantes pour leur généreuse collaboration: PP. Daniel Boudreau et Anselme Chiasson, S. Antoinette DesRoches, Irène Arsenault, Mélanie Arsenault et Madeleine Gallant.

journaux de leur époque. Ces notices étaient autrefois rédigées en termes émotifs comme le démontre bien l'exemple suivant tiré de la livraison du 5 février 1889 du *Moniteur acadien* :

> À St. Jacques, Egmont Bay, I.P.E., le 23 janvier, après six jours d'atroces souffrances, mais supportées avec une grande patience et une résignation vraiment chrétienne, et munie de les [*sic*] secours de notre sainte religion catholique [décédait] Marie Bernard, épouse chérie de M. Isidore M. Gallant, à l'âge de 54 ans. Elle laisse pour pleurer sur sa tombe, un époux tendrement aimé, plusieurs enfants et un grand nombre de parents et amis qui la regretteront longtemps.
>
> Les funérailles ont eu lieu à l'Église de St-Jacques le 25 janvier au milieu d'un grand nombre de personnes qui désiraient témoigner par leur présence leur estime pour la défunte.
>
> Elle appartenait à la Société de la Ste Famille de St-Jacques. R.I.P.[26]

L'influence de ce style journalistique est assez évidente dans le texte de *Adèle Doucette,* tout comme dans celui de *Jean Arsenault.* Les couplets finals de cette dernière complainte en font foi :

> Elle supporta sa maladie
>   avec une grande résignation.
> Elle eut le bonheur de mourir
>   fortifiée par les sacrements.
> Sa pauvre mère qui est près d'elle,
>   ses sœurs et puis ses (frères) aussi,
> Ils se sont tous mis en prières   }
>   que son âme fut en Paradis.   } *bis*
>
> Ils assistèrent aux funérailles
>   avec une grande affliction,
> Ils prièrent pour son âme
>   avec grande dévotion.

---

26. *Le Moniteur acadien*, 5 février 1889, p. 3.

>   Nous aussi nous prions pour elle
>   qu'elle soit au nombre des bienheureux.
>   Nous offrons nos condoléances⎫
>   à cette famille éplorée.[27]   ⎬ *bis*

Voilà en somme ce que constitue l'art des complaintes. Comme nous avons pu le constater, il ne faut pas chercher des chefs-d'œuvre littéraires dans ces chansons, mais bien de la poésie populaire et orale composée par des gens simples pour commémorer des événements tragiques qui les ont touchés de près.

---

27. Coll. Georges Arsenault, enreg. 658.

CHAPITRE II

Les auteurs

Pour saisir toute la portée d'une œuvre artistique, dans quelque domaine que ce soit, il importe de bien connaître son auteur. Évidemment, cela s'applique aux chansons de composition locale. Pour les comprendre à fond, il faut connaître d'une manière satisfaisante leurs auteurs et le contexte social dans lequel ils ont vécu. C'est ce que John F. Szwed, dans un article sur un auteur populaire de Terre-Neuve, appelle la «réalité ethnographique» d'une chanson[1].

Parmi les complaintes retenues pour cette étude, onze sont attribuées à des auteurs qui nous sont connus, soit à dix différentes personnes. Malheureusement, seulement deux sont encore vivantes.

L'approche idéale pour connaître d'une façon approfondie les auteurs populaires serait sans doute de les interroger sur leurs compositions. Edward D. Ives, qui s'intéresse de près aux poètes populaires, dit à ce sujet:

> La meilleure façon d'étudier ce genre de création [chansons de composition locale] serait de s'en référer aux poètes de leur vivant, les invitant à parler de leur art pour ensuite faire une analyse détaillée de leur production. Quels sont leurs thèmes préférés? Quelle est leur technique? Quel rapport existe-t-il dans leurs travaux entre la tradition et l'invention?

---

1. J.F. Szwed, «A Newfoundland Song-Maker and his Community of Song», dans Glassie, Ives, Szwed, *Folksongs and Their Makers,* Bowling Green, Bowling Green University Popular Press, [1970], p. 150.

Quel rapport pouvons-nous établir entre la person- nalité du poète et son œuvre ? Et caetera. [2]

Heureusement, nous avons eu l'occasion d'inter- roger les deux auteurs encore vivants qui ont pu nous renseigner sur les raisons qui les ont incités à com- poser. Leurs témoignages sont des plus précieux pour nous aider à bien saisir l'esprit de la complainte. Pour obtenir des renseignements sur ceux qui sont décédés, nous avons interrogé leurs descendants et autres per- sonnes qui les ont connus. Nous avons ainsi réuni de nombreux éléments biographiques à leur sujet.

Au cours de ce chapitre, nous ferons des es- quisses biographiques de douze auteurs, y compris deux dont les compositions ne leur ont pas survécu. Nous les présentons dans un ordre chronologique en nous basant sur leur date de naissance.

1. Julitte Arsenault

Julitte Arsenault, pionnière de la paroisse de Baie- Egmont, est l'auteur de la chanson *L'exode des Aca- diens de la Baie de Malpèque.* Elle était fille de Joseph Arsenault, surnommé Joe League, et de Marie Richard de Malpèque. Elle épousa Placide Arsenault qui mou- rut en avril 1862 âgé d'environ soixante-quinze ans. Ils eurent une famille d'au moins huit enfants [3].

Nous savons peu de chose sur elle, sauf les qua- lificatifs qu'elle se donne dans sa chanson: *petite, blanche* et *blême.*

2. Edward D. Ives, «A Man and his Song: Joe Scott and «The Plain Golden Band», dans Glassie, Ives, Szwed, *Folksongs and Their Makers, op. cit.,* p. 73. Traduction de l'auteur.
3. CEA, notes généalogiques manuscrites du père Patrice Gal- lant.

2. Isabelle Poirier

Isabelle Poirier est l'auteur de la chanson *Les deux noyés de Tignish*[4]. Née à Tignish le 14 novembre 1838[5] d'Alexis Gaudet et d'Appolline Poirier, elle épousa Pierre Poirier le 14 octobre 1862. Ce couple, qui donna naissance à un garçon et à une fille, habitait une ferme à Sea Cow Pond, un hameau près de Tignish.

Pierre est décédé à environ quarante-cinq ans. Son fils Moïse, qui demeurait avec sa mère jusqu'à sa mort, s'occupe de la ferme avant de la vendre vers 1917. Ils déménagèrent alors au village de Tignish. Isabelle mourut le 16 novembre 1934, quelques jours après avoir atteint ses quatre-vingt-seize ans.

Elle était plus ou moins illettrée et ne savait pas parler anglais. Reconnue comme sage-femme, on estime qu'elle mit au monde plus de cent bébés. Un trait particulier qu'on se rappelle, c'est qu'elle fumait la pipe et chiquait parfois du tabac.

Son caractère agressif lui valut le surnom de «la Grêle», nous a-t-on précisé. Selon Léo Gallant, «foulit pas lui marcher sur la grosse orteil[6]!»

Il est probable que «la vieille Grêle» ait composé plus d'une complainte, cependant nous n'en avons aucune preuve. Par ailleurs, nous savons qu'elle composa des chansons comiques à saveur surtout satirique. Le seul exemple que nous ayons enregistré traite d'un festin tenu chez «Pierre à Maximin» où seulement les «gros» de la paroisse furent invités. N'ayant pas été conviée, elle composa une chanson pour ridiculiser

---

4. Nous avons recueilli l'unique version de cette chanson de M. Léo Gallant qui l'a apprise de l'auteur. Plusieurs autres personnes que nous avons rencontrées l'attribuent également à Madame Poirier.
5. Renseignement obtenu de son petit-fils, Edmund Perry, de Tignish.
6. Coll. Georges Arsenault, enreg. 1192.

Isabelle Poirier.

ceux qui avaient assisté à cette fête. Elle la signa d'une façon bien amusante :

> La chanson a été composée
> Par la veuve à Pierre Perry.
> Ils sont toujours à m'appeler la « Grêle »,
> Mais son vrai nom c'est la veuve Zabelle.
> Il faut excuser les ignorants
> Ils me connaissont pas par d'autres noms[7].

Notons enfin qu'Isabelle Poirier composa sa complainte quelques jours après la noyade. Elle nous l'indique dans le premier couplet :

> Venez écouter la complainte
>   que je m'en vas vous chanter
> Ça 'rrivé dans la paroisse
>   il n'y a deux jours passés[8].

L'accident s'étant produit en 1915, Madame Poirier avait alors soixante-quatre ans.

3. Laurent Doucet

Laurent Doucet composa la complainte de *Jérôme Maillet*[9]. Né à Tignish le 16 septembre 1847 de Laurent Doucet et de Marie-Josephte Savoie, il épousa Bibianne Arsenault à Sainte-Marie-de-Kent (Nouveau-Brunswick) le 12 juin 1870. Selon le recensement de 1890 de la paroisse de Palmer Road, ce couple et leurs neuf enfants habitaient le district de Saint-Louis[10].
Vers 1895, Laurent déménagea avec sa famille à Rogersville dans le Nouveau-Brunswick pour devenir cultivateur dans le village de Saint-Pierre[11].

---

7. Coll. Georges Arsenault, ms. 217. Le patronyme Poirier s'écrit souvent sous sa forme anglicisée, soit Perry.
8. *Ibid.,* enreg. 451.
9. Renseignement obtenu de Marie-Rose Bernard, Saint-Louis, I.-P.-É., et de Madeleine Richard, Moncton, N.-B.
10. Ce recensement est inscrit à la fin du premier registre de la paroisse.
11. Renseignements obtenus de son petit-fils, Jean Finnigan de Rogersville, dans une lettre en date du 15 mars 1978.

Laurent Doucet et son épouse, Bibianne.

Après qu'il eut déménagé au Nouveau-Brunswick, Laurent composa une autre complainte. Celle-ci traitait de la mort accidentelle en 1906 de Jean Richard, de Rogersville[12]. Cette deuxième composition est assez différente de celle de *Jérôme Maillet* quoique quelques vers se ressemblent.

La tradition orale rapporte que Laurent était un type assez original. Il aurait fabriqué, dit-on, une paire d'ailes pour essayer de voler, une expérience qui lui valut le surnom «l'Oiseau»[13]. Père de treize enfants, il mourut le 12 décembre 1923 à l'âge de 77 ans.

4. Sophique Arsenault[14]

Selon le résultat de nos enquêtes, Sophique Arsenault aurait été le plus prolifique de tous les auteurs de

12. Coll. Georges Arsenault, enreg. 1267.
13. Renseignement de Madame Joseph Bernard, née Marie-Rose Richard, de Saint-Louis.
14. La plupart des renseignements de cette esquisse biographique sont tirés du témoignage des personnes suivantes et ils font

Sophique Arsenault.

complaintes que nous connaissons. De fait, on lui attribue cinq compositions dont seulement deux ont été
recueillies. Il s'agit des complaintes *Jean-François Cormier* et *Joseph Arsenault.* Les autres qui lui sont attri-

partie de notre collection : Sophie Arsenault, ms. 172 ; Madame
Joseph Arsenault (née Lucie-Anne Arsenault) ms. 192 ; Madame
Glorice Cormier (née Julitte Bernard), ms. 197 ; Arsène J. Gal-
lant et son épouse, ms. 152 ; Madame Antoine Arsenault (née
Hélène Bernard) enreg. 1196.

47

buées étaient composées sur Benoît Gallant de Baie-Egmont, tué accidentellement à Moncton; sur Bruce Barlow de Wellington, mort pendu; et sur le pêcheur Alexis Gallant, noyé à Saint-Chrysostome.

Sophique Arsenault fille de Fidèle Arsenault et d'Agnès Gallant, naquit à Baie-Egmont le 12 octobre 1853. Le 5 novembre 1872 elle épousa Gildas Arsenault de la même paroisse. Ils s'installèrent dans le district de Saint-Hubert, nommé en l'honneur du saint patron du père de Gildas, Hubert Arsenault. Ce dernier fut un des pionniers de cette partie de la paroisse[15]. Quatre enfants sont nés du mariage de Sophique et de Gildas, deux garçons et deux filles. Les deux filles sont mortes jeunes.

Sophique devint veuve en 1887 alors qu'elle n'avait que trente-cinq ans. Elle fut donc obligée d'aller travailler ici et là pour faire vivre sa petite famille. Pendant un certain nombre d'années, elle travailla à la «homarderie»[16] de Joseph Gallant, à Saint-Chrysostome, durant les quelques mois que l'on pêchait ce crustacé. Elle s'engageait aussi pour filer la laine et tisser au métier là où on sollicitait ses services. On venait la chercher de tous les coins de la paroisse pour des périodes allant parfois jusqu'à deux semaines. Nécessairement, elle logeait là où elle travaillait.

La vieille Sophique, comme on se le rappelle, fut de son temps une sage-femme renommée. On accourait de tous les coins de la paroisse pour obtenir ses services. En partant de chez elle pour accoucher une femme, elle commençait à réciter son chapelet pour assurer le succès de l'«enfantement». Ce service qu'elle rendait de bon cœur à la communauté lui méritait quand même un petit revenu de la part de ceux qui étaient en mesure de payer.

---

15. Alan Rayburn, *Geographical Names of Prince Edward Island,* Ottawa, Department of Energy, Mines and Resources, 1973, p. 109.
16. Conserverie de homard.

Cette «composeuse de complaintes» était remarquablement pieuse. Elle manifestait une grande dévotion à sainte Anne. À l'occasion, elle organisait chez elle des neuvaines en l'honneur de cette sainte auxquelles les voisins participaient. Elle était aussi abonnée aux *Annales de Sainte-Anne-de-Beaupré.* Elle possédait un livre de cantiques qui lui était utile surtout pendant le carême.

Bien que Sophique sût lire, elle ne pouvait pas écrire. Lorsqu'elle désirait rédiger une lettre ou tout autre document, elle avait recours aux membres de sa famille qui connaissaient l'écriture.

Selon nos informateurs, la vieille Sophique ne composa que des complaintes. «Elle avait une bonne tête pour ça» de dire Hélène Arsenault. Et d'ajouter sa petite-fille, Sophie Arsenault qui a vécu avec sa grand-mère, elle composait en travaillant, faisant adonner la mélodie au rythme de son rouet.

Il est regrettable que nous n'ayons pu recueillir toute sa production littéraire. Il aurait été intéressant de voir dans quelle mesure ses complaintes étaient différentes les unes des autres, aussi de constater le degré d'originalité de chacune. Quant à sa composition, *Joseph Arsenault,* il est possible qu'elle se soit inspirée de celle de *Pierre Arsenault,* laquelle se chante sur le même air et qui fut composée au moins cinq ans plus tôt par Émilie Bernard. La complainte *Jean-François Cormier,* pour sa part, est composée sur une mélodie de la chanson folklorique *La vieille sacrilège.*

Sophique demeura jusqu'à sa mort à Saint-Gilbert chez son fils Gilbert et sa famille. Elle mourut le 1er septembre 1939 à l'âge de 86 ans.

5. André Arsenault[17]

La complainte *L'accident de train à Tignish* fut composée par André Arsenault, un fermier de Saint-

---

17. Les renseignements sont de Léo Gallant, Arichat, N.-É; Julienne Pitre, Tignish Shore; Exzélia Arsenault, Tignish, fille d'André Arsenault.

André Arsenault (à droite) avec son frère, Cajétan.

Félix, paroisse de Tignish. Il était originaire de Baie-Egmont où il naquit le 14 juin 1854 du mariage d'Hubert Arsenault et de Marcelline Arsenault. Il était beau-frère de Sophique Arsenault, la «composeuse» de complaintes de Baie-Egmont. Lorsqu'il était encore jeune, il alla travailler à Tignish où il épousa en premières noces Adéline DesRoches qui lui donna quatre filles. Veuf en 1911, il épousa Alodie DesRoches qui le précéda dans la tombe en 1926. André est mort le 5 février 1947 à l'âge de quatre-vingt-douze ans.

Cet auteur de Tignish savait lire mais non écrire. Il semblerait qu'il ne composa qu'une seule complainte. Toutefois, il était reconnu pour ses chansons comiques qu'il faisait sur des faits amusants ou encore sur des situations drôles. Bon chanteur, il faisait partie du chœur paroissial. On se le rappelle aussi comme un homme qui avait beaucoup d'humour et qui aimait à jouer des tours.

6. Émilie Bernard

La complainte de *Pierre Arsenault* est attribuée à Émilie Bernard [18]. Née à Saint-Chrysostome le 7 mars 1865 de Joseph Bernard et de Louise Gallant, elle épousa, le 24 novembre 1891, Félix H. Arsenault. Six enfants sont nés de ce mariage. Le mari d'Émilie fut élu à l'Assemblée législative de l'Île-du-Prince-Édouard en 1904 où il siégea pendant quatre ans. Intéressé au commerce, il établit à Saint-Chrysostome une «homarderie» et un magasin général [19].

Émilie Bernard n'aurait fréquenté l'école que pendant deux ans, nous a appris sa fille Lucie [20], car,

---

18. Cela nous a été confirmé par plusieurs personnes de Baie-Egmont. De plus, une version manuscrite trouvée dans un cahier de chansons de Madame André Arsenault (cf. coll. Georges Arsenault, ms. 42) indique qu'Émilie Bernard en est l'auteur.
19. J.-Henri Blanchard, *Acadiens de l'Île du Prince-Édouard,* Charlottetown, 1956, p. 86.
20. Lucie Arsenault, Charlottetown, I.-P.-É.

Émilie Bernard.

après la mort de sa mère, Émilie dut rester à la maison pour venir en aide à ses deux frères infirmes. Au dire de Lucie Arsenault, sa mère s'est instruite d'elle-même. Elle adorait la lecture, ajouta-t-elle. Avant son mariage, Émilie travailla chez un couturier de Baie-Egmont où elle confectionnait des pantalons.

À part la complainte qu'elle composa sur Pierre Arsenault, on lui attribue une chanson historique sur la mort de Sir John A. MacDonald[21], père de la Confédération canadienne, décédé en 1891. Émilie Bernard est morte à Charlottetown le 13 décembre 1935.

7. William Doucette

La complainte *Adèle Doucette* fut composée par le beau-frère d'Adèle, William Doucette[22] de Harper Road, un district de la paroisse de Tignish. Il est né en 1876 d'Abraham Doucette et de Philomène Gaudet. Il enseigna quelques années dans les écoles de l'Île[23] et émigra ensuite aux États-Unis où il fut adopté en 1893 par M. Samuel Sumner de Boston. Il prit alors le nom de William D. Sumner. Il retourna aux études pour obtenir son diplôme en géologie en 1903. Il étudia ensuite le droit à Louisville dans le Kentucky. Il exerça d'abord au Texas où l'industrie pétrolière était en plein essor[24].

---

21. Sœur Antoinette DesRoches, *Miscouche, I.P.É., 1817-1967*, Miscouche, 1967, p. 59.
22. Renseignement obtenu de Marie-Blanche Gaudet, Harper Road; Marie Richard, Tignish; Marie-Rose Bernard, Saint-Louis.
23. Renseignement obtenu de sa nièce, Madame Emmanuel Gaudet, née Marie-Blanche Poirier de Harper Road. À cette époque les enseignants commençaient souvent leur carrière à l'âge de quinze ou seize ans.
24. *Souvenir Program of the Centennial Celebration, St. Simon and St. Jude Roman Catholic Church*, Tignish, 1961 (non paginé).

William Doucette.

William Sumner est mort à Summerside le 4 mars 1964[25] alors qu'il effectuait sa visite annuelle dans sa province natale.

Il est intéressant de noter que lorsqu'Adèle Doucette mourut en 1890, monsieur Sumner, alors William Doucet, n'avait que quatorze ans.

8. Madeleine Richard[26]

Madeleine Richard composa une complainte sur Arsène Arsenault de Maximeville (Baie-Egmont) qui se noya en pêchant le homard le 12 août 1935. Il était le père d'Élisée Arsenault, gendre de Madame Richard. Cette chanson n'a malheureusement pas été conservée.

Madeleine est née à Mont-Carmel en 1880 de Colombain Arsenault et de Marie Arsenault. Elle épousa Amand Richard le 12 novembre 1901 de qui elle eut quatre enfants. Elle est décédée en 1974, âgée de quatre-vingt-quatorze ans.

Madame Richard savait lire un peu mais ne pouvait pas écrire. Elle parlait très peu l'anglais. Elle travailla pendant plusieurs années dans les «homarderies».

En plus de la complainte sur Arsène Arsenault, elle composa plusieurs autres chansons, très différentes les unes des autres. Mentionnons celle qu'elle fit lorsque sa fille donna naissance à des jumeaux[27], celle sur l'ordination du père Emmanuel Richard en 1949[28] et une autre qu'elle composa sur elle-même, à l'âge de 90 ans, pour qu'elle soit chantée en sa mémoire, disait-elle. Cette dernière est une chanson d'adieu

25. Division of Vital Statistics, Department of Health, Charlottetown, I.-P.-É.
26. La plupart des renseignements pour cette esquisse biographique ont été recueillis de sa fille, Théotisse (Madame Élisée Arsenault), d'Urbainville.
27. Coll. Georges Arsenault, enreg. 256.
28. CEA, coll. Réjeanne Arsenault, enreg. 25.

Madeleine Richard.

dans laquelle Madame Richard reconnaît que son séjour sur la terre tire à sa fin. Elle demande à ses enfants, à sa parenté et à ses amis de ne pas l'oublier
après sa mort. Elle leur demande de prier, de faire la
charité et elle leur conseille d'invoquer la Sainte Vierge
à qui elle semble vouer une très grande dévotion. Voici le texte de cette unique chanson tel que l'a recueilli Réjeanne Arsenault en 1971. Madame Richard avait
alors 91 ans.

1. Ah! je suis vieille et je suis mère
   Ayant que quatre-vingt-dix ans.
   Il me faudra quitter la terre,
   Adieu pour la dernière fois.

Refrain: Adieu, adieu donc sur la terre.
   Et pour enfants, parents, amis,
   Je vous quitte tous dans la carrière.

2. Quand mon corps sera dans la terre,
   De sur ma pierre mon nom gravé;
   Vous en garderez la mémoire,
   Adieu pour la dernière fois.

3. Quand vous passerez au cimetière,
   Que vous voirez mon nom gravé,
   Vous me direz une petite prière,
   C'est pour le pardon de mes péchés.

4. Mes chers enfants, de sur la terre
   À votre mère pensez-y bien;
   Elle qui a fait tant de prières,
   Ah! oui, c'était pour vous aider.

5. Mes chers enfants, de sur la terre,
   La charité, la charité.
   Si vous voyez quelqu'un dans la malaise,
   Ah! oui, allez leur-z-aider.

6. Mes chers enfants, de sur la terre,
   La Sainte Vierge invoquez-les.
   Si vous venez dans la malaise,
   Ah! oui, elle viendra pour vous aider.

7. Quand la journée va-t-arriver,
   Que le Père des cieux va m'appeler,
   Vous me direz trois Ave Maria
   Pour que la Sainte Vierge vienne au-devant de
   [moi[29].

Cet auteur composait ses chansons mentalement, surtout la nuit lorsqu'elle ne pouvait pas dormir. Elle ne les fit jamais écrire, au grand regret de sa famille.

Madame Richard chantait beaucoup et elle possédait un répertoire considérable. Elle chantait chez elle

---

29. CEA, coll. Réjeanne Arsenault, enreg. 30.

pendant de longs après-midi, tout en effectuant son travail. Il lui arrivait aussi parfois de se produire dans des concerts que l'on organisait à la salle paroissiale.

9. Joseph et Maggie Chiasson

Nous ne pouvons pas considérer Joseph et Maggie Chiasson comme de véritables auteurs de complaintes pour la simple raison qu'ils n'ont composé que le début d'une complainte, soit celle sur la mort accidentelle d'Alex Tremblay de Saint-Louis.

Joseph et Maggie Chiasson.

Joseph Chiasson est né en 1889 alors que son épouse, Maggie (Marguerite), naquit le 10 avril 1890. Ils se sont mariés en 1909. De ce mariage sont nés dix enfants. Ils habitaient Saint-Édouard dans la paroisse de Palmer Road où ils étaient cultivateurs.

Maggie nous raconta qu'ils avaient commencé à composer cette complainte pendant l'hiver de 1926. Elle se souvient que son mari regardait dehors par la fenêtre en même temps qu'ils composaient. Ils imitèrent la complainte de *Jean Richard*. En comparant le premier couplet de ces deux textes, nous constatons qu'il s'agit avant tout d'une adaptation :

Alex Tremblay	*Jean Richard*
Une mort pénible et triste	Une mort pénible et triste
C'est à St-Louis est arrivée.	À Rogersville est arrivée.
Dans l'année mil neuf cent [vingt-cinq,	Dans l'année mil neuf cent six,
C'est dans le mois de novembre.	Dans le mois de février.
La mort d'un capitaine,	C'est la mort d'un jeune homme,
Alex Tremblay est nommé,	Jean Richard est nommé,
En revenant l'Alberton,	Que son cheval assomme
Ah ! il se faisait tuer [30].	En l'frappant d'un coup de pied [31].

10. Frank DesRoches [32]

Frank (Francis) DesRoches, du district de Saint-Félix, dans la paroisse de Tignish, composa une complainte sur la noyade de son frère aîné, Joseph. Malheureusement, cette chanson ne semble pas avoir été conservée.

Cet auteur est né à Tignish le 30 mars 1890 de Sylvain DesRoches et de Marie Buote. Le 25 novembre 1925, alors qu'il était âgé de 35 ans, il épousa Marie-Rose Arsenault. De ce mariage sont nés deux garçons et une fille.

---

30. Coll. Georges Arsenault, enreg. 978.
31. *Ibid.,* enreg. 1267.
32. Renseignements recueillis auprès de M. Hector Richard et de Élénore DesRoches, de Tignish.

Frank DesRoches et son épouse, Marie-Rose Arsenault.

Pêcheur de métier, Frank DesRoches avait également une petite ferme qui lui fournissait les principales denrées nécessaires à la subsistance de sa famille. Il était un homme comique, nous dit-on, qui aimait beaucoup chanter. Il mourut à la suite d'une brève maladie, le 27 février 1963.

11. Léah Maddix [33]

Léah Maddix est l'auteur des complaintes les plus récentes. Elle composa celle sur la noyade d'Aimé Arsenault survenue en 1953, et une sur Francis Arsenault qui se noya en juillet 1976. Évidemment, Léah Maddix est la personne tout indiquée pour nous renseigner sur tout ce que peut comporter la composition de ce genre de chanson.

Madame Maddix, née Léah Aucoin, vit le jour le 3 mars 1899 au Cap-Egmont dans la paroisse de Mont-Carmel. Elle était le troisième enfant d'une famille de dix. Son père, Aimé Aucoin, était pêcheur.

Léah fréquenta l'école à partir de l'âge de huit ans. Elle aimait beaucoup l'étude et réussissait très bien. À douze ans, atteinte de tuberculose, elle fut obligée de quitter l'école pour ne plus jamais y retourner. Ce ne fut pas sans regret, car elle avait toujours rêvé de devenir institutrice. Ces quelques années lui avaient suffi pour apprendre à lire et à écrire le français et l'anglais. Elle avoue cependant écrire l'anglais avec plus de facilité que le français.

Pendant sa jeunesse elle travailla pendant quelques étés dans les «homarderies» de son village, puis au lot 16 pour un nommé Harry Wood. Plus tard, à l'âge de vingt-trois ans, elle suivit le courant d'émigration de l'époque vers les États-Unis. Elle s'installa à Malden (Massachussets) où elle demeura cinq ans. Elle travailla d'abord comme femme de ménage et ensuite comme aide garde-malade auprès des vieillards.

---

33. Notes recueillies lors de nombreuses visites chez Léa Maddix.

Léah Maddix. *Photo Lawrence McLagan.* Courtoisie de *P.E.I. Heritage Foundation.*

En 1928, un an après son retour à l'Île, Léah épousa Alyre Maddix. Elle déménagea alors à Saint-Gilbert, le village de son mari, dans la paroisse de Baie-Egmont. Là, ils se sont construit une maison. Ils ont donné naissance à huit enfants dont seulement deux filles ont survécu. Ils ont également élevé une autre fille qui avait cinq ans lorsqu'ils l'ont accueillie dans leur foyer.

Vers 1956, Alyre Maddix se fit estropier par son cheval, ce qui l'empêcha de travailler pendant environ trois ans. Pour s'assurer d'un gagne-pain, les Maddix se firent parents nourriciers accueillant au cours de quelques années une douzaine d'enfants.

En 1964, Alyre et Léah firent déménager, sur une distance d'environ quatre milles, leur maison de Saint-Gilbert à Abram-Village, où demeure leur fille aînée. Ils tenaient à être le plus près possible de leur enfant et de leurs petits-enfants à qui ils sont très attachés. Leur autre fille demeure au Québec.

Léah mit à profit l'expérience qu'elle avait acquise en travaillant avec une garde-malade pendant son séjour aux États-Unis. En effet, on la considérait un peu, dans sa communauté, comme une garde-malade que l'on consultait avant d'avoir recours aux soins d'un médecin. Jusque dans les années 1950, elle offrait ses services comme sage-femme. On venait la chercher de par toute la paroisse et parfois elle demeurait dans la famille qui l'avait sollicitée pendant plusieurs jours. Elle assista à trente-trois accouchements auxquels un médecin était généralement présent.

Léah Maddix est détentrice d'un bagage de culture populaire considérablement riche. Fille de conteur, elle tient plusieurs contes de son père. Elle est en effet excellente conteuse et elle retire beaucoup de plaisir à dire ses contes aux enfants. Elle sait bien rendre aussi les contes facétieux qui sont nombreux dans son répertoire. Léah connaît également un grand nombre de chansons folkloriques qu'elle a surtout apprises de ses parents qui étaient, à son avis, d'excellents chanteurs. Elle-même est bonne interprète. Elle

peut aussi très bien turluter. Autrefois, elle exécutait des « reels à bouche » pour faire danser les filles qui travaillaient avec elle dans les « homarderies ».

Léah Maddix est surtout reconnue pour son talent à composer des discours et des chansons. Lorsqu'une fête quelconque a lieu, que ce soit un anniversaire de naissance ou de mariage, un « shower », une fête de départ, etc., on lui demande souvent d'écrire un discours pour l'occasion. Ceux-ci, qu'on appelle le plus souvent des « adresses », sont parfois rédigés sur un ton sérieux mais le plus souvent ils sont comiques, écrits en vers et dans le langage populaire. Léah avoue avoir beaucoup de facilité dans ce domaine.

Les chansons que Léah compose sont surtout du genre comique, traitant souvent de petits événements cocasses qui se sont déroulés dans son cercle d'amies à Saint-Gilbert. Elle fit ses premiers vers à l'âge de vingt ans. Les mélodies de ses chansons sont des airs qu'elle connaît. Elle essaya cependant de composer un air de toutes pièces. Cette expérience s'avéra si difficile qu'elle ne la répéta plus. La difficulté ne résidait pas dans la composition de la mélodie mais dans sa mémorisation. Ne sachant l'écrire, elle dut chanter l'air sans relâche pendant une journée entière pour ne pas l'oublier.

Nous avons déjà souligné que Léah Maddix a deux complaintes à son actif. Elles racontent les noyades de jeunes hommes. Elle ne les composa pas sur commande. Au contraire, c'est du plus profond de son âme qu'elles ont surgi, témoignant ainsi sa très grande sympathie pour les victimes et leur famille. En parlant de celle qu'elle fit sur Francis Arsenault qui se noya seulement quelques mois après la mort de sa mère, Léah nous donna l'impression que sa chanson s'est faite presque inconsciemment :

> Oui, je sais pas comment ça se fait. Les soirs, me ressemblait qu'il faisait assez pitié à cause qu'il avait pas de mère puis me ressemblait que ça venait tout seul [les mots de la complainte]. Tout d'un coup je

m'ai aperçu que j'avais de quoi de composé sans m'apercevoir. [34]

Elle composa cette complainte peu de temps après le tragique événement.

Ses complaintes, tout comme ses autres chansons, elle les composa mentalement, «dans sa tête» comme elle dit, et elle les retient facilement sans les écrire. Cependant, il lui arrive d'en rédiger une copie pour des intéressés.

Lorsque Léah Maddix composa sa première complainte, soit celle d'*Aimé Arsenault*, elle s'inspira du texte de *François Richard* qu'elle connaissait bien. Elle retint la mélodie et aussi, dans une certaine mesure, le style, tout en l'adaptant au cas d'Aimé Arsenault. Voici comment elle nous décrivit brièvement son procédé: «Bien, j'ai changé beaucoup de quoi, tu sais. J'en ai gardé plusieurs, les mêmes mots, bien j'en ai changés un peu pour que ça s'adonne [35].» Si nous comparons quelques couplets de ces deux complaintes, nous verrons exactement dans quelle mesure elles se ressemblent:

François Richard

Ah! venez tous mes chers parents
Entendre chanter une chanson.
C'est dans le village de Mont-Carmel
Y a arrivé une triste nouvelle,
Ça nous fait voir que Dieu
[Tout-Puissant
A pouvoir sur tous ses enfants.

C'est un garçon de dix-huit ans
Qui paraissait fort bien prudent
S'en est allé dans les États
Pour y finir tous ses combats.
Dieu qui avait marqué sa fin,
Il s'est tué, c'est là son dessein.

Aimé Arsenault

Oh! venez écouter chanter
La chanson que j'ai composée.
C'est dans l'village d'Egmont-Baie
Une triste nouvelle est arrivée,
Ça nous fait voir que Dieu
[Tout-Puissant
A le pouvoir sur tout(es) ses enfants

C'est un garçon de vingt-sept ans
Qui paraissait fort bien prudent
S'en est allé pour travailler,
Il était engagé pour pêcher.
Mais il avait pas dans l'idée
La mort funeste qui lui est arrivée.

---

34. Coll. Georges Arsenault, enreg. 1120.
35. *Ibid.,* enreg. 1081.

Il a le cœur bien attristé
Ah! c'était pour tous les laisser.
Tout le bonsoir leur a souhaité,
Ah! c'était pour l'éternité.
Mais il avait toujours dans l'idée
De revenir les rencontrer[36].

Oh! c'était sa dernière journée
La parenté s'est assemblée.
Toute le bonjour leur a souhaité
Ah! c'était pour l'éternité.
Mais il avait toujours dans l'idée
De revenir les rencontrer[37].

En constatant l'envergure des emprunts faits à la chanson *François Richard,* on peut s'imaginer la difficulté qu'une personne aurait à retenir ces deux textes sans les confondre. Cela s'est produit chez Léah qui ne peut plus chanter la complainte de *François Richard*, car elle la mêle à sa propre composition.

Sa récente complainte sur Francis Arsenault contient des vers qui proviennent de celles de *François Richard* et d'*Aimé Arsenault.* Par contre, elle lui a donné une toute autre forme strophique et une mélodie différente qu'elle alla emprunter à la chanson folklorique *La fille d'un boucher*[38]. À part l'air, elle tira de cette chanson un couplet qu'elle adapta d'une façon bien originale. Voici ce qu'il en est:

La fille de New York City

Creusez ma fosse, creusez-lè bien
[creuse
De sur ma tête vous metterez une
[tombe;
Sur mon estomac vous placerez un
[pigeon
Pour faire voir au monde que je suis
[morte d'amour[39].

Francis Arsenault

Creusez ma fosse, creusez-lè bien
[creuse,
Sur mon estoumac vous metterez
[une rose
Sur mon tombeau mettez un p'tit
[bateau
Parce que je suis mort au fond de
[l'eau[40].

Certains faits que Léah Maddix relate dans sa chanson lui viennent du cousin de Francis qui la visita peu de temps après l'accident. Ce dernier est nommé dans la complainte. Il s'agit du «propre cousin» qui

---

36. CEA, coll. Donald Arsenault, ms. non classé.
37. Coll. Georges Arsenault, enreg. 21.
38. *Ibid.*, enreg. 1272, *La fille de New York City*. Cette chanson est une traduction d'une «*ballad*» anglaise. Les versions anglaise et française sont connues dans l'Île-du-Prince-Édouard.
39. *Ibid.*
40. *Ibid.*, enreg. 1120.

accompagna le prêtre appelé pour administrer les derniers sacrements lorsque le cadavre fut retrouvé. Notons aussi que ce cousin fut l'un des premiers à qui Léah chanta sa composition.

Au temps où Léah travaillait dans les «homarderies», des gens de Maximeville auraient voulu qu'elle compose une complainte sur deux jeunes frères, Émilien et Antonin Arsenault, qui s'étaient noyés dans leur village en avril 1917. Elle ne la composa pas, car elle ne s'en croyait pas capable et aussi ça ne lui disait rien.

En 1960, Tilmon Gallant, d'Abram-Village, fut assassiné par un adolescent du même endroit. Léah nous dévoila qu'elle avait amorcé une complainte sur cette tragédie mais qu'elle l'abandonna pour la raison que le meurtrier était de la paroisse et qu'elle ne voulait pas blesser sa parenté:

> ...Me ressemblait que celle-là [complainte sur Tilmon Gallant], à cause que c'était quelqu'un d'Egmont-Baie qui l'avait tué, me ressemblait que j'aimais pas ça tant. Comme ceux qui se noyent, bien c'est des accidents. Ça ici c'est un accident sur un bord puis sur l'autre bord c'est une personne... me ressemble c'est dur pour une personne qui a tué, hein!... quand qu'on la connaît. Si ç'avait été quelqu'un en dehors que j'aurais pas connu... Bien c'est si fait que j'ai pas voulu. Oui, j'avais pensé plusieurs fois d'en composer une. Des fois j'en avais des grands bouts de parés...[41]

Léah Maddix est certes un auteur de complaintes intéressant et des plus remarquables. Elle constitue un témoin bien vivant de cette ancienne tradition qui malheureusement semble être à la veille de s'éteindre.

Ces brèves biographies ne sont peut-être pas suffisantes pour nous permettre de tirer d'importantes conclusions au sujet du rapport entre les auteurs et leurs chansons. Les renseignements que nous avons recueillis nous donnent quand même une idée assez

---

41. Coll. Georges Arsenault, enreg. non classé.

juste du genre de personnes portées à composer des complaintes.

En premier lieu, tous les auteurs sont nés et ont vécu à la campagne au moment où ils ont produit leurs vers. À l'exception de William Doucet, qui était instituteur, tous les autres vivaient de la culture de la terre ou de l'industrie de la pêche. La plupart d'entre eux ont peu fréquenté l'école, même que certains, tels André Arsenault, Isabelle Poirier, Madeleine Richard et Sophique Arsenault ne savaient pas écrire.

Un fait assez remarquable chez la majorité de ces gens, c'est qu'ils ont élevé de petites familles de trois ou quatre enfants, des maisonnées relativement petites dans la société acadienne traditionnelle. Parmi ces auteurs qui n'ont eu que quelques enfants, trois d'entre eux, Isabelle Poirier, Sophique Arsenault et Léah Maddix, ont été sages-femmes. Notons également que deux de ces dernières sont devenues veuves relativement jeunes.

Le sexe des auteurs en question constitue un des points les plus frappants. En effet, ce sont uniquement des femmes qui ont composé des complaintes dans la région de Baie-Egmont et Mont-Carmel, alors que dans les paroisses de Tignish et Palmer Road, à l'extrémité ouest de l'Île, les complaintes furent surtout composées par des hommes.

Que pouvons-nous dire du caractère de ces individus? D'après nos enquêtes, certains d'entre eux étaient évidemment des gens qui avaient une forte personnalité et que l'on pourrait même qualifier, avec quelques nuances, d'originaux. Nous pensons d'abord à ceux qui composaient également des chansons comiques au sujet d'événements divers et dans lesquelles on allait parfois jusqu'à morigéner des personnes, comme l'a fait Isabelle Poirier dans sa chanson sur le festin chez Pierre à Maximin. Rappelons-nous encore la chanteuse Madeleine Richard qui, pour s'assurer qu'elle ne soit pas oubliée après sa mort, composa une chanson sur elle-même, une sorte de testament versifié!

Et que penser de ceux qui portaient des sobriquets tels « l'Oiseau » et « la Grêle » ? Ces surnoms nous en disent long sur le caractère de ces individus et sur la façon dont les percevaient leurs contemporains.

Ces auteurs semblent toutefois avoir été des gens très sensibles et fort troublés par les événements tragiques qui survenaient dans leur milieu. Les complaintes qu'ils ont composées démontrent leur profonde sympathie pour les victimes de ces tragédies. Nous avons en effet constaté cette sincérité chez Léah Maddix lors de nos nombreuses rencontres avec elle.

Quant aux méthodes de composition, c'est surtout Léah Maddix qui a pu nous renseigner sur le sujet. D'abord, même si elle sait écrire, elle compose et retient ses chansons mentalement tout comme le faisaient d'ailleurs les autres auteurs qui ne savaient mettre leurs vers sur papier. Pour la mélodie et le style des deux complaintes qu'elle composa, Léah Maddix s'est inspirée de chansons du même genre qu'elle connaissait.

Pour en connaître davantage sur les auteurs, et surtout sur la transmission et l'interprétation de leurs œuvres, passons au prochain chapitre que nous consacrons à la transmission orale.

CHAPITRE III

La transmission orale

1. Transmission et interprétation

A. *Les premiers interprètes*

Les auteurs de complaintes sont nécessairement les premiers interprètes de leurs productions. Comme nous l'avons souligné, ils se doivent de les chanter souvent et devant plusieurs auditeurs pour en assurer la transmission. Demandons-nous donc où et devant qui ils les chantaient.

Léah Maddix, pour sa part, n'a pas beaucoup chanté ses complaintes en public. Elle chanta celle d'*Aimé Arsenault* à quelques reprises lors de réunions de l'association féminine, «les Dames du Sanctuaire», à Saint-Gilbert et à Abram-Village. Quant à sa deuxième composition, *Francis Arsenault,* elle ne l'avait pas encore chantée publiquement lorsque je l'enregistrai le 9 novembre 1976, soit quatre mois après l'événement. Elle ne l'avait chantée qu'à la famille de sa fille ainsi qu'au cousin de Francis de qui elle tenait quelques détails de l'accident. Léah Maddix m'avertit qu'elle ne la chanterait pas en public avant d'en avoir parlé au père de Francis. Elle me demanda donc de ne pas faire écouter l'enregistrement avant l'obtention de sa permission.

Sophique Arsenault, ce fécond auteur de complaintes de Baie-Egmont, chantait souvent ses compositions chez elle tout en effectuant les travaux domestiques[1]. Par ailleurs, son métier de sage-femme, de

---

1. Renseignements obtenus de sa petite-fille, Sophie Arsenault, Saint-Hubert.

fileuse et de tisserande lui fit visiter un grand nombre de foyers où elle demeurait parfois pendant plusieurs jours. Elle eut souvent l'occasion de faire entendre ses complaintes car sa réputation de chanteuse était bien établie. Selon plusieurs informatrices, lorsque «la vieille Sophique» se trouvait chez elles, pour une raison quelconque, on ne manquait pas de la prier de chanter.

Quant à «la vieille Grêle» de Tignish, Isabelle Poirier, il semblerait qu'elle se soit souvent produite en public. Au dire de Léo Gallant, en parlant de cette «composeuse de chansons», «quand qu'elle était à un endroit, faillit qu'elle chantit la complainte des noyés[2]». Il se souvient de plusieurs soirées à Tignish où la vieille Grêle chanta. C'est d'ailleurs de Léo Gallant que nous avons enregistré la seule version de cette complainte, *Les deux noyés de Tignish*[3]. Il la tient de l'auteur même, l'ayant tellement entendu chanter.

La coutume voulait-elle que les auteurs chantent leurs compositions aux familles de ceux qu'ils évoquaient? D'après les renseignements recueillis au sujet de quelques auteurs, il semble qu'ils avaient tendance à le faire. Laurent Doucet, auteur de *Jérôme Maillet,* chanta d'abord sa chanson à la mère de Jérôme, nous a appris Marie-Rose Bernard, de Saint-Louis[4]. Sophique Arsenault, de son côté, chanta la complainte sur Jean-François Cormier à la famille de Glorice Cormier, frère de Jean-François[5], et, aux noces de Marianne Gallant, elle fit entendre celle qu'elle avait composée sur Benjamin Gallant, le frère de la mariée[6]. Quant à Madeleine Richard, elle chanta celle qu'elle avait composée sur Arsène Arsenault à deux enfants de ce der-

2. Coll. Georges Arsenault, enreg. 1192.
3. *Ibid.,* enreg. 451.
4. *Ibid.,* enreg. 1194.
5. Renseignements obtenus de Glorice Cormier, Wellington, I.-P.-É.
6. Coll. Georges Arsenault, ms. 176. Inf.: Madame Austin Hashie.

nier[7]. Par ailleurs, Léah Maddix n'a jamais chanté à la mère d'Aimé Arsenault la complainte composée sur son fils, quoiqu'elle a toujours voulu le faire sachant que Madame Arsenault désirait l'entendre.

Un cas intéressant est celui de Frank DesRoches, de Tignish, qui composa lui-même une chanson sur son frère Joseph, mort noyé. Léo Gallant, qui entendit Frank la chanter chez lui à deux reprises, nous assura que cette complainte était «mortellement bien composée». Évidemment, il n'était pas facile pour Frank de la chanter, d'ajouter Léo Gallant; il lui fallait être à demi saoul. Cette chanson n'a pas été recueillie. Personne ne l'aurait apprise étant donné que son auteur l'a si peu chantée.

Les auteurs semblent avoir peu diffusé leurs complaintes par la voie écrite. Voilà ce qui se dégage de notre sondage. Tout au plus savons-nous que Sophique Arsenault, qui ne savait pas écrire, fit transcrire sa complainte sur Jean-François Cormier pour la donner aux parents qui la demandaient[8]. Au début de nos recherches, nous avons trouvé à Abram-Village, chez Lucille Arsenault, un texte manuscrit de la chanson *Aimé Arsenault*. À ce moment, nous n'avions pas encore rencontré Léah Maddix, l'auteur de cette complainte. Madame Arsenault ne se souvenait plus de qui elle avait obtenu ce texte et qui l'avait composé. Même Léah Maddix, que nous rencontrions un peu plus tard, ne se rappelait pas avoir donné les paroles de cette chanson à Madame Arsenault. Selon toute probabilité, Madame Arsenault était présente à la réunion des Dames du Sanctuaire lorsque Léah Maddix la chanta. Ce fut probablement après coup qu'elle en obtint une copie manuscrite.

---

7. Renseignements recueillis auprès d'Alina Gallant et d'Élisée Arsenault..
8. Coll. Georges Arsenault, ms. 172. Inf.: Sophie Arsenault.

B. *La transmission familiale*

Qui sont ceux qui connaissent encore les complaintes ? Pour la plupart, ce sont des gens âgés de soixante ans et plus, qui, malheureusement, n'en connaissent souvent que quelques couplets et parfois même que des fragments. Certains informateurs nous ont assuré qu'ils en connaissaient autrefois beaucoup plus long. N'ayant pas chanté les complaintes depuis longtemps, ils les ont oubliées.

Les complaintes semblent s'être surtout transmises verticalement, c'est-à-dire de génération en génération à l'intérieur d'une même famille. Signalons que le plus grand nombre de nos informateurs, qui sont pour la plupart des femmes, tiennent leurs chansons de leur mère. Nous illustrerons ce phénomène en présentant quelques informatrices importantes. Nous tenterons ainsi de voir comment les chansons traditionnelles, surtout les complaintes, étaient vécues dans leur famille.

Une de nos excellentes chanteuses est Maggie Chiasson de Saint-Édouard, née en 1890. Elle connaît un nombre considérable de chansons folkloriques apprises un peu partout, mais dont un bon nombre sont des chansons qu'elle tient de sa mère. Chanter est un passe-temps favori pour Maggie qui fredonne à longueur de journée les nombreuses chansons de son répertoire. Sa fille, Marianne (Madame Joseph B. Gallant) en a beaucoup apprises de sa mère. Ce ne fut pas difficile de les apprendre, nous a-t-elle affirmé, surtout lorsqu'on les a entendues pendant toute une vie. Depuis son mariage, Marianne demeure voisine de sa mère.

Une nièce de Maggie Chiasson, Denise Allain, demeure tout près de chez sa tante. Elle aussi possède un vaste répertoire de chansons traditionnelles qu'elle tient en grande partie de sa tante Maggie qu'elle a beaucoup fréquentée. Ces trois femmes constituent ensemble une source presque intarissable de

chansons populaires. C'est d'ailleurs d'elles que nous avons recueilli le plus grand nombre de complaintes locales. Nous en avons enregistrées douze, dont huit qui ont leur source à l'Île. Ajoutons que ces trois informatrices ont longtemps travaillé dans les conserveries de poissons.

Du côté d'Abram-Village, nous retrouvons une autre bonne informatrice dans la personne de Madame Arcade S. Arsenault, née Hélène Gallant en 1891. Au cours de quelques visites chez elle, elle nous a chanté des versions de quatre complaintes apprises de sa mère. Malheureusement, deux sont très fragmentaires. Elle regretta de ne pouvoir les chanter au complet, car elle les savait jadis en entier. La mère de Madame Arsenault chantait beaucoup, surtout en travaillant et aussi le soir pour divertir ses enfants : « Des soirs elle nous chantait des chansons, des fois. J'étions tout le temps après elle pour la faire chanter. Des fois elle venait tannée, elle disait : « Laissez-moi donc tranquille[9]. » Elle interprétait aussi pour la visite : « Des fois, quand on avait de la compagnie, mon père lui en faisait chanter. Il disait : « Chante donc cette complainte-ci, chante donc cette complainte-là. » Puis elle les chantait[10]. » Elle chantait beaucoup aussi lorsque ses sœurs la visitaient.

Aujourd'hui, deux filles de Madame Arsenault, une veuve et l'autre célibataire, demeurent à la maison paternelle. Elles connaissent un certain nombre de chansons qu'elles tiennent de leur mère et de leur grand-mère.

La contribution faite à notre recherche par Madame Félicien Arsenault (née Alma LeClair), de Saint-Hubert, et celle de sa sœur Lucy Arsenault de Chelsea (Massachusetts, États-Unis), sont très importantes. Ensemble elles ont mis par écrit, vers 1967, quatre complaintes locales qu'elles avaient apprises de leur mère,

---

9. Coll. Georges Arsenault, ms. 182.
10. *Ibid.*

supposément une grande chanteuse. En 1971, nous avons rencontré Alma de qui nous avons enregistré, sur bande magnétique, deux de ces complaintes ainsi que plusieurs autres chansons.

Ces deux femmes avaient transcrit ces complaintes à l'intention de Hélène Arsenault de Saint-Gilbert. Elle était à la recherche des paroles de ces chansons qu'elle avait déjà entendues mais qu'elle n'avait pas retenues. En effet sa mère, Marie Bernard, était une grande chanteuse qui connaissait plusieurs complaintes locales. Madame Arsenault a quand même pu m'en chanter quelques fragments. Par ailleurs, elle a conservé dans sa mémoire un nombre impressionnant de chansons folkloriques apprises autant de sa mère que d'autres personnes, surtout dans les «facteries» où elle a travaillé pendant plus de vingt ans.

Une autre fille de Marie Bernard, Mélanie Arsenault, qui habitait depuis longtemps Abram-Village avant sa mort en 1972, était également une excellente chanteuse. Sa fille Florence, de qui nous avons obtenu les renseignements, n'a malheureusement pas retenu les complaintes locales que sa mère savait. Elle se souvient cependant de plusieurs chansons que sa mère chantait à longueur de journée tout en faisant son ménage. Lorsqu'elle filait au rouet, elle interprétait surtout des chansons langoureuses. Chanter faisait tellement partie de ses habitudes qu'elle ne put faire autrement que de fredonner quelques airs pendant qu'elle filait, même le jour de l'enterrement de son deuxième mari. Le fils adoptif de son mari qu'elle venait d'enterrer, ne put tolérer cette attitude de sa belle-mère qu'il qualifia d'irrespectueuse. Cela causa une énorme querelle dans la famille. D'après Florence, il ne fallait pas croire à un manque de respect de la part de sa mère: «C'était dans elle, elle faisait rien de mal. Elle avait soigné Ferdinand jusqu'à ce qu'il ayit mouri...[11] »

---

11. Coll. Georges Arsenault, enreg. 1199.

C. Les «homarderies»

Nous avons vu que plusieurs de nos informateurs ont travaillé dans les «homarderies». Ces conserveries semblent avoir été des lieux favorables à la diffusion et à la transmission des chansons.

L'industrie de la pêche au homard devint importante dans l'Île-du-Prince-Édouard vers 1880. Elle devança rapidement tous les autres genres de pêche qui se faisaient à l'époque[12]. Dans la paroisse acadienne de Mont-Carmel, les trois premières «homarderies» furent construites en 1879. À partir de cette date, la pêche au homard prit un essor considérable de sorte qu'en quelques années on comptait vingt et une de ces usines entre Summerside et le Cap-Egmont, une distance de seulement treize milles[13]. En 1901, deux cent vingt-sept conserveries mettaient le homard en boîtes dans l'Île[14]. Cette nouvelle industrie saisonnière nécessita une importante main-d'œuvre. Chaque établissement engageait des hommes pour faire la pêche et quelques-uns pour travailler dans l'usine. La plupart des travailleurs dans la «homarderie» étaient cependant de sexe féminin. Ce fut probablement la première fois dans la province que les filles et les femmes travaillèrent à salaire en dehors du foyer, et ce, en si grand nombre.

Ces établissements de pêche et de conservation de poisson offraient généralement la pension à leurs employés, car souvent ces derniers habitaient à une distance trop éloignée de leur emploi pour y faire le voyage quotidiennement. On s'y installait

12. «Les pêcheries de l'Île du Prince-Édouard», *Le Moniteur acadien,* le 16 décembre 1880, p. 1.
13. «J.J. Gallant — Pioneer in Lobster Trade», *Halifax Herald,* 2 novembre 1942.
14. A.H. Clark, *Three Centuries and the Island,* Toronto, University of Toronto Press, 1959, p. 148.

Le personnel de la « homarderie » de John Agnew, Cap-Nord, 1912. *Photo Eileen Oulton.*

pour toute la durée de la saison de pêche qui s'étendait, vers 1880, du 20 avril au 20 août[15].

La main-d'œuvre dans ces usines comprenait des personnes de tout âge. Selon plusieurs informateurs, les employés, au début de cette industrie, étaient généralement des gens venant de familles pauvres qui cultivaient peu la terre et qui dépendaient presque uniquement de ces revenus pour vivre. À cette époque l'assistance sociale était inexistante. Les veuves chargées d'enfants se voyaient obligées d'aller s'engager pour faire vivre leur famille.

La plupart de nos informateurs qui ont travaillé dans les «homarderies» nous ont dit qu'ils y ont appris beaucoup de chansons. Au dire de Léah Maddix, c'était là un des seuls divertissements: «Entre les filles on chantait un sérieux coup. Dans ce temps-là il y avait pas aucune façon de musique. Personne avait de radio, ni rien[16].» Madame Hélène Arsenault de Saint-Gilbert a bien connu les «facteries» pour y avoir travaillé pendant vingt ans. Elle s'engagea à différents établissements notamment à Abram-Village, à Saint-Chrysostome, à Rustico, et même à Bayfield en Nouvelle-Écosse. Pour passer les soirées «on chantait puis on contait des histoires» nous a-t-elle raconté[17]. Madame Albénie Gallant a aussi travaillé pendant plusieurs années dans les «homarderies». Elle dit y avoir entendu plusieurs complaintes dans ces endroits: «Moi, où ce que je les ai entendu chanter, c'était aux facteries. On allait à la facterie à Naufrage, là... On était des bandes, bien sûr, puis une chantait une chanson puis une chantait d'une autre manière[18].»

Les «facteries» furent aussi des lieux où l'on composa des chansons, surtout du genre comique.

15. «L'Industrie du homard», *Le Moniteur acadien*, 20 juillet 1882, p. 2.
16. Coll. Georges Arsenault, enreg. 1081.
17. *Ibid.*, enreg. 1182.
18. *Ibid.*, enreg. 1196.

À Baie-Egmont, l'auteur par excellence était Thomas Arsenault, ou «Tom Magitte» de son surnom. Il travaillait à la «homarderie» de Joseph Gallant à Saint-Chrysostome. Ses chansons étaient surtout composées sur des membres du personnel de cet établissement.

D. *Extinction progressive de la transmission*

Plusieurs facteurs ont pu influencer la transmission des complaintes. En premier lieu, les chanteurs traditionnels, comme le dira G. Malcolm Laws dans son ouvrage, *Native American Balladry. A Descriptive Study and a Bibliographical Syllabus,* ont tendance à oublier les complaintes qui n'ont plus beaucoup de signification pour eux[19]. En effet, une complainte perd de sa valeur sentimentale auprès des interprètes et des auditoires au fur et à mesure que l'événement relaté s'éloigne temporellement d'eux. En conséquence, la chanson sera de moins en moins demandée et de moins en moins chantée. Ce facteur pourrait surtout expliquer le petit nombre de complaintes que nous connaissons pour la période avant 1850.

L'étendue de la diffusion d'une complainte à la suite de sa création constitue un deuxième élément essentiel à sa transmission. Il est de première importance que la chanson ne demeure pas connue de l'auteur seulement. Au contraire, il faut qu'il la chante souvent pour permettre à des intéressés de l'apprendre et de la faire circuler à leur tour.

Les complaintes composées dans la deuxième moitié du XIXe siècle ont certes été avantagées de ce côté. À cette époque la vie rurale à l'Île-du-Prince-Édouard était encore peu atteinte par le genre de vie moderne et la culture traditionnelle était en pleine effervescence. Ainsi, les chansons traditionnelles

---

19. G. Malcolm Laws, *Native American Balladry. A Descriptive Study and a Bibliographical Syllabus,* p. 48.

étaient encore très en vogue. Les complaintes de composition locale avaient donc l'occasion de se faire entendre et de se laisser apprendre.

Le XXe siècle n'a certes pas favorisé autant les auteurs de complaintes. On sait bien que la tradition orale a perdu beaucoup de terrain depuis le début du siècle. La venue des mass-média, l'urbanisation, le développement dans le domaine de l'éducation, sont autant de facteurs qui ont contribué à la régression vertigineuse de la tradition orale. Progressivement, les auteurs de chansons locales se sont faits rares. Ceux qui maintenaient la tradition réussirent mal à diffuser et à transmettre leur production. Cela est évident lorsque l'on considère que cinq des douze complaintes composées depuis 1900 n'ont pas été recueillies et qu'elles ont probablement disparu avec leur auteur. À cela, ajoutons que trois complaintes furent recueillies uniquement des auteurs.

Il va sans dire que l'écriture est aussi un atout à la diffusion et à la conservation d'une complainte. Mise en écrit soit par l'auteur, soit par une autre personne, elle a l'avantage de circuler facilement et d'être conservée sans être chantée. Cependant, à la lumière de nos recherches, nous pouvons affirmer que l'écriture a joué un rôle plutôt restreint dans la transmission et la conservation des complaintes qui retiennent notre attention dans cette étude.

Un autre facteur pouvant influencer la transmission d'une complainte a trait à la qualité de son texte. De fait, une chanson, composée de façon à ce qu'elle soit facile à mémoriser et comportant un nombre restreint de vers, est apte à mieux se transmettre qu'une chanson revêtant les caractéristiques opposées.

2. La diffusion des complaintes à l'extérieur de l'Île

Les Acadiens de l'Île-du-Prince-Édouard, malgré leur isolement géographique, ont toujours maintenu

des contacts avec les autres groupements acadiens de l'Est canadien. La distribution géographique de certaines complaintes à l'extérieur de la province le suggère. De fait, cinq complaintes originaires de l'Île ont été recueillies d'informateurs vivant un peu partout dans l'est du pays. Celles de *Jérôme Maillet* et de *Xavier Gallant — Le meurtrier de sa femme* ont été de loin les plus favorisées. Leur aire géographique dépasse même les frontières du Nouveau-Brunswick. Elles ont été recueillies sur la Côte Nord québécoise, en Gaspésie, aux îles de la Madeleine, au Cap-Breton et même dans le Maine. Quant à *Firmin Gallant, Pierre Arsenault* et *Trois jeunes hommes noyés*, leur rayon de diffusion se limite au Sud-est du Nouveau-Brunswick.

En parcourant les travaux généalogiques traitant des Acadiens insulaires, on constate que ceux-ci prenaient parfois épouse aux îles de la Madeleine et un peu partout dans le Nouveau-Brunswick, alors que les Acadiens d'ailleurs trouvaient parfois leur douce moitié parmi les Acadiennes de l'Île[20]. Beaucoup d'Acadiens étaient pêcheurs et navigateurs de métier ce qui leur permettait de rencontrer des gens d'un peu partout. Il faut dire également qu'il y eut un contact assez étroit entre les gens de la région de Tignish et les pêcheurs de morue du Nord-est du Nouveau-Brunswick. Ces derniers accostaient souvent à Tignish pour se mettre à l'abri des tempêtes, pour se ravitailler, ou pour simplement mettre le pied à terre pour une fin de semaine. Le journal de Tignish, *L'Impartial*, notait en 1893, qu'au-delà de cent cinquante embarcations de pêche de Caraquet étaient venues se mettre à l'abri du mauvais temps dans le havre de Tignish[21]. Les gens de cette localité se rappellent toujours ces pêcheurs qui hantaient encore leurs quais au début du siècle.

---

20. Père Patrice Gallant, *Michel Haché-Gallant et ses descendants,* Sayabec, 1970, tome 2; J.-Henri Blanchard, *Rustico — Une paroisse acadienne de l'Île du Prince-Édouard,* s.l., 1938.
21. *L'Impartial,* le 5 octobre 1893, p. 3.

Pêcheurs de Caraquet à Tigrish, *circa* 1905. *Photo Eileen Oulton.*

DISTRIBUTION DES COMPLAINTES À L'EXTÉRIEUR DE L'ÎLE

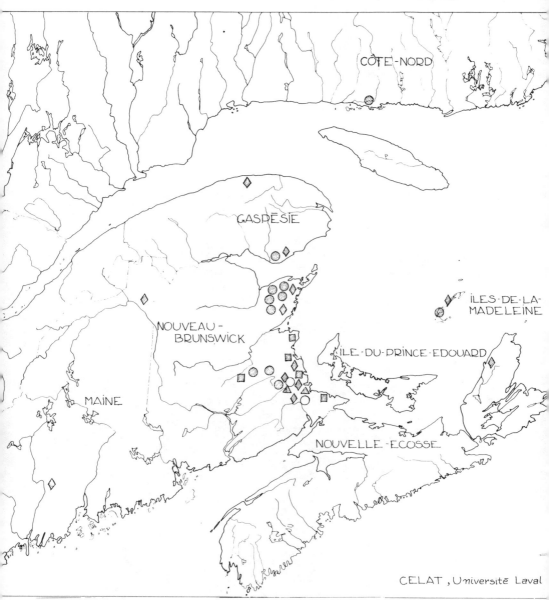

CELAT, Université Laval

○ XAVIER GALLANT — LE MEURTRIER DE SA FEMME
▦ FIRMIN GALLANT
◇ JÉRÔME MAILLET
△ PIERRE ARSENAULT
○ TROIS JEUNES HOMMES NOYÉS

L'importante émigration d'Acadiens insulaires, surtout depuis le milieu du siècle dernier, a certainement contribué beaucoup à la diffusion de certaines complaintes. À partir de 1860, des Acadiens de Rustico allèrent s'établir dans la vallée de la Matapédia en Gaspésie. Des gens de Mont-Carmel et de Baie-Egmont allèrent les rejoindre au cours des années qui suivirent[22]. En 1864, un autre groupe établit une nouvelle colonie dans le Nouveau-Brunswick, soit à Saint-Paul dans le comté de Kent[23].

Afin de freiner l'émigration en masse des Acadiens vers les États-Unis, leurs chefs de file, notamment Monseigneur Marcel-F. Richard, ouvrirent de nouvelles colonies, entre autres à Rogersville et à Acadieville. De nombreux insulaires y déménagèrent pendant les deux dernières décennies du XIXe siècle et au début du XXe.

Laurent Doucet, auteur de *Jérôme Maillet,* fut parmi ces émigrants. Vers 1900, il quitta Saint-Louis avec sa famille pour s'établir à Rogersville. Il y a lieu de penser qu'il fit connaître sa complainte dans sa nouvelle patrie.

Le développement industriel aux États-Unis attira un nombre considérable d'Acadiens vers les grands centres urbains de la Nouvelle-Angleterre, surtout à partir de 1880. Nous pouvons croire que cette vague d'émigration contribua à la diffusion de nos complaintes, car des francophones de tout le Canada français s'y rencontraient et pouvaient s'échanger des chansons.

Il ne faudrait pas oublier les chantiers forestiers en tant que lieux favorables à la diffusion de chansons. Chaque automne, bon nombre de jeunes hommes quittaient leur village pour les camps de bûche-

---

22. Georges Arsenault, « Le Système des propriétaires fonciers absents de l'Île-du-Prince-Édouard et son effet sur les Acadiens », *La Revue de l'Université de Moncton,* vol. 9, n°s 1, 2 et 3 (octobre 1976), p. 72.
23. *Ibid.*

rons et ne revenaient qu'au printemps. Les Acadiens de l'Île ont fréquenté entre autres les chantiers forestiers du Maine, du New Hampshire, de la Miramichi, de Kamouraska et du Témiscouata au Québec, ainsi que ceux de la Nouvelle-Écosse. Ces camps accueillaient des hommes venant de tout l'est du pays.

Plusieurs complaintes témoignent de cette mobilité des Acadiens de l'Île-du-Prince-Édouard. Pascal Poirier de Tignish se marie en secondes noces en 1835 à Bouctouche. Il se noie quelque temps après lorsqu'il est en route avec sa femme pour visiter ses beaux-parents (cf. *Pascal Poirier*). Sylvain et Gilbert Gallant, Éric Perry et les autres membres de l'équipage d'une goélette, périssent vers 1872 en revenant de Boston (cf. *Naufrage en revenant de Boston*). Dans un autre naufrage, Agape Richard, matelot à bord de la goélette *Richard-Thompson* se noie en 1890 en revenant de Pictou, Nouvelle-Écosse, à Summerside (cf. *Agape Richard*). Quant à Pierre Arsenault, il se noie également mais en faisant la pêche sur une goélette américaine (cf. *Pierre Arsenault*). Dans un chantier forestier américain, Jérôme Maillet, de Saint-Louis, est écrasé par un arbre et meurt de ses blessures (cf. *Jérôme Maillet*), alors que François Richard est victime d'un accident dans une carrière dans ce même pays (cf. *François Richard*). Enfin, Jean-François Cormier se noie lorsqu'il est en route pour les chantiers forestiers (cf. *Jean-François Cormier*).

3. Les variantes

Un phénomène inhérent à la transmission orale est celui des variantes. Les chansons folkloriques sont caractérisées par ce phénomène. Souvent, l'âge d'une chanson peut être perçue par le nombre de variantes qui se présentent à travers ses différentes versions.

Les variantes sont ordinairement imputables à la mémoire des interprètes, ou encore à leur incompré-

hension de certains mots ou même de certaines phrases. Il est possible aussi que des chanteurs modifient consciemment le texte d'une chanson pour une raison quelconque. Voici comment G. Malcolm Laws explique les variantes qui figurent dans les «*ballads*» nord-américaines et qui peuvent aussi s'appliquer à notre répertoire de complaintes:

> L'infidélité de la mémoire chez les humains est sans doute la cause la plus évidente des variantes. Cette faiblesse humaine peut engendrer la substitution de quelques mots et expressions, ou encore peut-elle progressivement produire des textes corrompus et incohérents. De telles corruptions peuvent aussi se faire lorsqu'un chanteur ne comprend pas la signification d'un mot ou d'une expression quelconque. Les variantes peuvent également résulter de substitutions, d'additions ou d'éliminations que l'interprète apporte volontairement au texte qu'il a reçu, en vue de l'améliorer. [24]

Les complaintes véhiculées par la tradition orale ne sont pas exemptes de ce phénomène. De fait, toutes celles dont plus d'une version fut recueillie, affichent un certain nombre de variantes. Cependant, ces variantes ne constituent souvent que des changements mineurs. Le plus souvent, elles reproduisent plus ou moins la même idée tout en apportant des changements aux expressions utilisées. Pour illustrer cela, mettons en parallèle deux vers tirés de *Jérôme Maillet,* tels qu'on les retrouve dans quatre versions:

> Il s'est écrié: «Mes très chers amis,
> Venez, accourez tous, car je m'en vais mourir.» [25]

> Il s'est écrié à tous ses amis:
> «Venez, accourez vite, car je m'en vais mourir.» [26]

---

24. G. Malcolm Laws, *Native American Balladry*, p. 71. Traduction de l'auteur.
25. Coll. Georges Arsenault, ms. 209.
26. AF, coll. Joseph-Thomas LeBlanc, ms. 695.

Il s'est écrié : « Parents et amis,
Venez m'secourir car je m'en vais périr. » [27]

Il s'est écrié : « Mes très chers amis,
Venez à mon secours car je m'en vas mourir. » [28]

On retrouve cependant dans certaines versions des variantes qui modifient parfois beaucoup l'idée émise au départ et qui arrivent de temps à autre à la changer complètement. Cela sera abondamment illustré dans l'étude comparée de *Xavier Gallant — Le meurtrier de sa femme.*

Il n'est pas toujours facile de discerner les changements qu'un interprète aurait volontairement fait subir à un texte. Quelques-uns sont cependant très évidents. Prenons à titre d'exemple la complainte *Firmin Gallant.* Celle-ci débute généralement par : « C'est dans notre petite île / Nommée du nom de Saint-Jean. » Une version recueillie à Cocagne, Nouveau-Brunswick, modifie ces vers pour donner l'introduction suivante : « Sur le bord d'une petite île / Bien connue l'île de Cocagne [29]. » Quant au reste du texte, il dévie très peu des autres et le noyé reste le même, soit Firmin Gallant, âgé de dix-huit ans. Il est possible que l'auteur de cette variante voulut localiser cette chanson à un lieu qui lui était plus familier que Rustico dans l'île Saint-Jean (île du Prince-Édouard).

Une autre variante très intéressante se trouve dans une version de *Jérôme Maillet,* provenant de Baie-Egmont. D'après cette version, le premier à secourir Jérôme pour le libérer de l'arbre qui l'écrasait fut un nommé Eugène :

27. CEA, coll. père Anselme Chiasson, enreg. 555.
28. CEA, coll. père Médard Daigle, enreg. 17.
29. CEA, coll. Leblanc-Myers, enreg. 16. Recueillie de Madame Clarence Myers, née Hélène Léger, 53 ans, le 2 août 1975.

Eugène qui était là, le voyant inanimé,
Il a couru à lui, c'est pour le dégager. [30]

Dans la plupart des autres versions, c'est un Joseph qui fut le premier à venir en aide au bûcheron blessé. Comment s'explique cette unique variante? Selon des renseignements recueillis à Baie-Egmont, la personne en cause était Eugène Arsenault, de Saint-Hubert, qui travaillait dans le même camp forestier que Jérôme. Ce serait lui qui aurait introduit la complainte dans Baie-Egmont[31]. Cela nous suggère qu'Eugène lui-même aurait pu être l'auteur de cette variante.

Il est rare de recueillir une version d'une complainte qui soit complète. Cela peut s'expliquer par le grand nombre de couplets que comprend généralement une chanson de ce genre. Certains chanteurs ne retiendront que les strophes principales laissant alors tomber celles qui ajoutent peu au récit. Un bon exemple figure dans les versions de *Firmin Gallant.* La plupart des huit versions ne contiennent pas les couplets 4, 5, 6, 7 et 8 où la victime formule des prières et fait ses adieux. Cela se produit aussi dans *Pierre Arsenault.* Ici, les couplets 10, 12, 13, 14 et 17 manquent à plusieurs versions. Ce sont aussi des couplets qui ne renferment aucun élément important à l'histoire de la tragédie.

La tendance à ne retenir que les couplets les plus narratifs est encore évidente dans *Joachim Arsenault.* La version de Madame Arcade S. Arsenault[32] ne retient que les couplets 1, 2, 7, 8, 10, 12, et pourtant on a l'impression qu'elle est complète. L'autre version comprend dix-sept couplets. Elle fut recueillie par le père

---

30. Coll. Georges Arsenault, enreg. 19. Recueillie à Abram-Village de Madame Augustin P. Arsenault, née Lucille Poirier, 79 ans, en mai 1971. Elle obtint les mots de Madame Félicien Arsenault de Saint-Hubert.
31. *Ibid.*, ms. 176. Renseignements de Sophie Hashie, née Arsenault fille d'Eugène Arsenault. Selon elle, son père composa cette complainte.
32. *Ibid.,* enreg. 642.

Pierre-Paul Arsenault[33] à une date beaucoup plus rapprochée de la noyade que le fut celle de Madame Arcade S. Arsenault.

Somme toute, les variantes n'enlèvent rien à la valeur des complaintes mais plutôt elles en ajoutent. Elles sont en quelque sorte un indice de leur popularité dans le sens que plus une complainte est chantée, plus elle a de variantes.

33. CCECT, coll. père Pierre-Paul Arsenault, ms. 15.

DEUXIÈME PARTIE

Les textes des complaintes

CHAPITRE PREMIER

L'exode des Acadiens de la Baie de Malpèque

La chanson qui retiendra notre attention tout au long de ce chapitre se distingue, par l'importance des faits historiques qu'elle contient, de toutes les complaintes composées par les Acadiens de l'Île-du-Prince-Édouard. Elle traite des colons acadiens de la Baie de Malpèque qui, aux prises avec le propriétaire foncier de l'endroit, durent s'expatrier pour aller fonder, en 1812, la paroisse de Baie-Egmont.

Dans la première partie de cette étude, nous présenterons le texte de la complainte ainsi que la liste des versions recueillies. Nous situerons ensuite cette chanson dans son contexte historique en brossant un tableau de l'histoire des Acadiens de l'Île-du-Prince-Édouard, et plus spécifiquement de ceux de Malpèque. Nous nous attarderons surtout à décrire les causes de leur départ. Cette présentation historique sera suivie d'une étude comparée des différentes versions de la chanson et des documents viendront appuyer les faits qu'elles rapportent. Enfin, nous terminerons cette monographie par quelques considérations sur la forme et le style de la complainte.

1. Présentation du texte

La complainte, *L'exode des Acadiens de la Baie de Malpèque*[1], est certes un des documents oraux les

---

1. Cette chanson figure dans le *Catalogue de la chanson folklorique française* par Conrad Laforte (Québec, Les Presses de l'Université Laval, 1958). On lui donne le titre, *La dispersion des Acadiens de l'Île Saint-Jean*.

plus importants de l'histoire de la paroisse de Baie-Egmont, voire même de l'histoire des Acadiens de toute la province. Comme le dégagera l'étude comparée, ce document a été transmis de bouche à oreille pendant plus d'un siècle et demi sans que les faits relatés en soient beaucoup déformés.

Quatre versions ont été recueillies jusqu'à présent. La première fut notée à une date probablement antérieure à 1924, alors que la dernière fut recueillie en 1971. Voici la liste de ces versions:

A. *Île-du-Prince-Édouard* (non localisée). CCECT, coll. père Pierre-Paul Arsenault, ms. 83 et 92. «Le départ de Malpèque». Informateur inconnu. Texte recueilli vers 1924 [2]. 13 couplets.

B. *I.-P.-É., Prince, Baie-Egmont, Abram-Village.* Coll. Georges Arsenault, enreg. 20. [À n'importe quelle condition que nous soyons.] Chantée par Madame Emmanuel Gallant, née Madeleine Bernard, 73 ans, en mai 1971. Chanson apprise de sa mère à Saint-Chrysostome. Baie-Egmont. 9 couplets.

C. *I.-P.-É., Prince, Baie-Egmont, Saint-Chrysostome.* AF, coll. J.-T. LeBlanc, ms. 965. «Première année que j'ons venu ici.» Texte fourni vers 1939 par Madame André Arsenault, née Léonide Arsenault (1899-1967). Un couplet.

D. *I.-P.-É., Prince, Mont-Carmel.* AF, coll. Luc Lacourcière, enreg. 3356. [La première année que nous sommes ici.] Chantée par Madame Lucien Arsenault, née Marie-Louise Arsenault, le 27 juillet 1957. 5 couplets. [3]

---

2. Marius Barbeau, *Romancero du Canada*, p. 184. Le père Arsenault, folkloriste amateur, a recueilli 131 chansons chez les Acadiens de l'Île-du-Prince-Édouard lorsqu'il était curé de la paroisse de Mont-Carmel. Une première tranche de sa collection fut communiquée à Marius Barbeau en 1924.

3. Dans la suite de ce chapitre, nous nous référerons à ces versions en donnant entre parenthèses la lettre que chacune porte dans cette liste.

Nous constatons par cette liste que la chanson a eu une diffusion relativement restreinte. Elle n'a été recueillie qu'à l'intérieur de la paroisse de Baie-Egmont et de la paroisse voisine, Mont-Carmel. Bien que nous ayons enregistré une version en 1971, il reste que cette complainte est peu connue de nos jours. Nous l'avons constamment demandée au cours de nos nombreuses enquêtes dans l'Île, mais toujours sans succès. Quelques informateurs nous ont dit l'avoir déjà entendue, sans toutefois l'avoir retenue.

Le texte que nous présentons ci-dessous comprend la version recueillie par le père Pierre-Paul Arsenault (version A)[4], complété par les couplets 9 et 10 tirés de la version de Madame Emmanuel Gallant (version B).

Le départ de Malpèque

1. Qui est la cause que nous *sont*[5] ici?
   C'est les mauvais gens de notre pays.
   Tout d'une bande
   Contre les Acadiens
   Et tous ensemble
   Ils vivons de nos biens.

---

4. La copie originale de la collection du père Arsenault est annotée de plusieurs corrections grammaticales, probablement de la plume de Marius Barbeau. Ce texte corrigé, pour ne pas dire modifié, a été publié à quelques reprises: Jean-Claude Dupont, *Héritage d'Acadie,* pp. 60-63; Georges Arsenault, «Le Système des propriétaires fonciers absents de l'Île-du-Prince-Édouard et son effet sur les Acadiens», *Revue de l'Université de Moncton*, vol. 9, nos 1, 2 et 3 (cotobre 1976), pp. 75-77; Jean-Guy Rens et Raymond Leblanc, *Acadie/Expérience, Choix des textes acadiens: complaintes, poèmes et chansons,* Montréal, Parti Pris, 1977, pp. 45-47.

   En reproduisant ici ce texte, nous avons voulu être le plus conforme possible au manuscrit original, négligeant alors les corrections qui lui ont été apportées. Lorsqu'une correction s'est avérée nécessaire pour rendre le texte compréhensible, nous avons reproduit au bas de la page le mot tel qu'il apparaît sur le manuscrit.

5. Lire: «nous sommes». Dans le parler populaire acadien on dira, «j'sons».

2. À peine *cueillons-nous* [6] un grain de blé
   Il faut aussitôt aller leur porter.
   Ces gens barbares
   Sans aucune charité
   N'ont point d'égard
   À notre pauvreté.

3. À quelque condition que nous soyons,
   Faut leur donner à chacun un mouton.
   Quelle misère!
   Dieu nous a-t-il bien mis
   De sur la terre
   Pour qu'ils nous firent mourir.

4. Nous voyant ainsi maltraités,
   Nous *fûmes* [7] résous de nous en aller.
   De poste en poste
   Ne sachant où aller
   C'est à la Roche
   Qu'on a venu demeurer.

5. La première année qu'on a été ici
   Nous *avons* [8] été ruinés par les souris.
   Dieu par sa grâce
   A fait l'année suivante
   Une abondance
   De grains et de froments.

6. N'ayant pu semer qu'un boisseau de blé,
   Vingt-trois boisseaux nous avons récoltés.
   La Providence
   Nous a favorisés
   D'une abondance
   Plus qu'on peut espèrer [*sic*]

7. Nous sommes assez contents d'être ici
   Sans regretter même notre pays.
   Mais notre père
   Qui nous a élevés
   Nous fait de peine
   De le voir exposé.

---

6. Ms.: «cuille» ou «cuilli». La version B donne «cueillons-nous».
7. Ms.: «fument».
8. Ce mot manque au manuscrit.

8. À la fureur de ces lions
   Qui ont *dessein* [9] *d'agir* [10] en trahison
   D'un jour à l'autre
   On craint d'être averti
   De quelques malheurs
   Eurent arrivé à lui.

9. [Mais Dieu qui veut à personne du mal
   Fit qu'en allant pour panser son cheval,
   Dedans sa route
   A trouvé un écrit
   Chose sans doute
   Qui lui sauva la vie.

10. Sur cet écrit il était mentionné
    Qu'ils étaient tous pour être assassinés,
    Mis au pillage
    Pendant la nuit
    Par deux hommes du village
    Qui voulaient notre vie.] [11]

11. Ces chers enfants ayant *appris* [12] cela
    Sans regarder aucune [*sic*] embarras
    Leur très cher père
    Ils ont été *retirer* [13]
    De la fureur
    De ces loups enragés.

12. Ciel pour nous quel triste sort,
    Si notre père eut été mis à mort.
    Quand j'y pense je frisonne,
    Au chagrin je m'abandonne.
    Je me livre au désespoir
    Que d'y penser sans le voir.

13. Nous devons avoir du regard
    Pour Jésus à notre égard.
    Il a retiré notre père
    Du profond de la misère.
    Ne cessons donc de remercier
    Le Seigneur dans sa bonté.

---

9. Ms. : « dessin ».
10. Ms. : « agire »
11. Version B.
12. Ms. : « apprit ».
13. Ms. : « retiré ».

14. Qui a *composé*[14] la chanson
    Voulez-vous en savoir le nom
    C'est la petite Julite blanche et blême,
    C'est Dieu qui la mit de même
    N'en *dites*[15] rien laissez-*les*[16] comme elle est
    C'est le don que Dieu y a donné.

15. Si ma chanson n'est pas bien chantée
    Je vous *prie*[17] de m'excuser.
    Car Dieu donne à sa créature
    À chacun selon sa nature
    Y en a qu'ont le don de bien chanter
    Bien loin de là, moi, j'ai passé.

2. Le contexte historique

A. *Établissements acadiens à la Baie de Malpèque*

Les premiers établissements permanents dans l'Île-du-Prince-Édouard remontent à 1720. L'Île, alors colonie française, était connue sous le nom d'île Saint-Jean. Les premiers colons, partis du havre de Rochefort, débarquèrent et s'installèrent à Port-Lajoie près de la ville actuelle de Charlottetown[18].

En 1728, trois familles s'établirent sur les côtes de la Baie de Malpèque. Elles arrivaient de l'Acadie[19], territoire jadis français, qui depuis le traité d'Utrecht de 1713 était devenu possession anglaise.

Au début, la population acadienne de la Baie de Malpèque n'augmenta pas rapidement, puisque le recensement effectué en 1740 ne dénombre que cin-

---

14. Ms.: «composer».
15. Ms.: «dite».
16. Lire: «laissez-la».
17. Ms.: «pris».
18. J.-Henri Blanchard, *Histoire des Acadiens de l'Île du Prince-Édouard,* Moncton, Imprimerie de l'Évangéline, 1927, p. 11.
19. Id., *The Acadians of Prince Edward Island*, 1720-1964, Charlottetown, 1964, p. 27. L'Acadie comprenait grosso modo la Nouvelle-Écosse péninsulaire.

L'EXODE DES ACADIENS DE LA BAIE DE MALPÈQUE

(11 premiers couplets)

(couplets 12 à 15)

quante-trois personnes[20]. Le recensement suivant, soit celui du Sieur de la Roque en 1752, démontre que le nombre de personnes avait sensiblement augmenté. En effet, le Sieur de la Roque compta 201 personnes, composant trente-deux familles. Le plus grand nombre de ces colons était natif de l'Acadie[21]. En 1752 également, une paroisse religieuse dédiée à la Sainte Famille était constituée à Malpèque[22].

Au cours des quelques années qui ont suivi le recensement du Sieur de la Roque, de nombreux Acadiens allèrent rejoindre ceux déjà établis à la Baie de Malpèque. Ils arrivèrent en grand nombre, surtout en 1755, l'année de la Déportation des Acadiens[23].

La forteresse de Louisbourg sur l'île Royale tomba aux mains des soldats anglais le 26 juillet 1758. Cette défaite entraîna également pour la France la perte de l'île Saint-Jean[24]. À l'automne de cette même année, lord Rollo fut chargé de déporter tous les colons de l'île Saint-Jean. De Port-Lajoie, où l'embarquement se fit, les navires transportèrent les vaincus vers la France[25].

Les Acadiens qui habitaient la Baie de Malpèque ne furent pas atteints par lord Rollo à l'automne de 1758[26]. Cependant, le printemps suivant, des navires anglais firent voile vers Malpèque afin de disperser cette population. Ils trouvèrent la paroisse déserte. Les habitants, avertis du plan des Anglais, s'étaient enfuis un peu partout, notamment à la Baie des Chaleurs, au Québec et aux îles Saint-Pierre et Mique-

20. Blanchard, *The Acadians of Prince Edward Island...*, p. 31.
21. «Voyage d'inspection du Sieur de la Roque. Recensement. 1752», *Rapport concernant les Archives Canadiennes pour l'année 1905,* Ottawa, Imprimeur du Roi, vol. II, pp. 149-155.
22. Blanchard, *The Acadians of Prince Edward Island...*, p. 39.
23. Id., *Histoire des Acadiens...*, p. 22.
24. Francis W.P. Bolger *et al.*, *Canada's Smallest Province. A History of Prince Edward Island,* Charlottetown, The Prince Edward Island Centennial Commission, 1973, pp. 31-32.
25. Blanchard, *Histoire des Acadiens*, pp. 30-31.
26. *Ibid.*

lon[27]. Enfin, un certain nombre s'étaient probablement cachés dans les bois de l'Île[28].

Vers 1761, les Acadiens commencèrent à se réinstaller d'une façon permanente à Malpèque[29]. Monseigneur Octave Plessis, évêque de Québec, écrivait après sa visite pastorale à l'Île en 1812: «La plupart [Acadiens] abandonnèrent leurs terres pendant deux ou trois ans, d'autres y revinrent seulement après la paix de 1763, d'autres enfin s'étant fixés ailleurs, oublièrent leur ancienne patrie et n'y reparurent plus...[30]» Ceux qui revenaient à l'Île devaient prêter le serment d'allégeance à la Couronne anglaise pour pouvoir y rester[31]. Un recensement effectué par Alexandre Morris en 1768 dénombre quarante-cinq Acadiens à Malpèque[32].

En 1763, par le traité de Paris, l'île Saint-Jean devint officiellement territoire britannique. L'Angleterre décida alors qu'il fallait coloniser sa nouvelle acquisition. Ce fut en 1765 que le capitaine Samuel Holland, mandaté par le roi George III, arpenta et divisa l'île en soixante-sept lots ou cantons, chacun contenant environ 20 000 acres[33]. Par la suite, les «Commissioners of Trade and Plantations» se chargèrent de distribuer les terres de l'île à des individus. La plupart des lots furent adjugés à des marchands, à des fonctionnaires de marque, à des politiciens éminents et à des vétérans qui s'étaient distingués dans la marine et dans l'armée[34].

Peu des concessionnaires originaux se sont préoccupés de leurs acquisitions qu'ils étaient tenus de

27. Blanchard, *The Acadians of Prince Edward Island...*, p. 51.
28. Id., *Rustico — Une paroisse acadienne de l'Île-du-Prince-Édouard*, p. 23.
29. *Ibid.*, p. 25.
30. Mgr Octave Plessis, «Voyage de 1812», *Le Foyer Canadien*, Québec, 1865, p. 195.
31. Blanchard, *Rustico*, p. 25.
32. *Ibid.*
33. Bolger, *op. cit.*, pp. 35-36.
34. *Ibid.*, p. 41.

coloniser. Dans la décennie qui suivit, un quart des lots changèrent de propriétaires[35]. Ceux qui portèrent un intérêt à leurs terres y dirigèrent des colons à qui ils faisaient signer des baux à long terme. Les locataires devaient donc acquitter une certaine redevance aux propriétaires. Ces derniers demeuraient rarement dans l'Île; ils nommaient plutôt des agents qui s'occupaient de faire signer les baux et de percevoir les redevances.

Les Acadiens revenus à Malpèque après la Déportation se sont établis sur les lots 13 et 14. En 1770, Walter Patterson, premier gouverneur de l'Île et propriétaire d'une partie du lot 17, fit venir ces Acadiens pour les installer sur son lot le long de la Baie de Malpèque[36].

Quelque temps après l'arrivée des Acadiens dans le lot 17, quelques familles anglaises, dont les premières étaient loyalistes, vinrent s'installer auprès d'eux[37]. L'entente entre ces deux groupes linguistiques ne semble pas avoir été des meilleures, car, en 1799, commençait un exode d'Acadiens de Malpèque vers des lots inoccupés. C'est à Tignish, dans les lots 1 et 2, et à Cascumpec dans le lot 5, qu'ils allèrent se réétablir[38].

B. *L'arrivée du colonel Harry Compton*

Vers 1804, le colonel Harry Compton, du comté de Middlesex en Angleterre, devint propriétaire du lot 17 et y déménagea[39]. Pendant les premières années

---

35. Bolger, *op. cit.*, p. 39.
36. A.B. Warburton, *A History of Prince Edward Island,* St. John, N.B., Barness & Co. Ltd., 1923, p. 151.
37. *Illustrated Historical Atlas of the Province of Prince Edward Island,* Philadelphia, J.H. Meacham & Co., 1880, p. 12.
38. Blanchard, *Histoire des Acadiens de l'Île du Prince-Édouard,* p. 104.
39. Hubert G. Compton, «The First Settlers of St. Eleanors», *The Prince Edward Island Magazine,* vol. I, n° 5 (July 1899), p. 168.

qui ont suivi son arrivée, le colonel Compton fut assez sympathique envers les Acadiens installés sur ses terres. L'abbé Angus B. MacEachern, desservant à l'époque les Acadiens de l'Île, en donne des nouvelles à son évêque dans une lettre datée du 5 novembre 1805:

> Un certain lieutenant-colonel Compton, qui a acheté l'établissement français de Malpèque, se montre bienveillant envers nos gens, et leur a loué ses terres à des conditions raisonnables. Il est sympathique à notre religion.[40]

Le premier mars 1807, le colonel Compton faisait signer un bail en commun à vingt et une familles acadiennes résidant sur son lot. De la plupart, il exigeait comme redevance annuelle dix boisseaux de bon blé, un mouton, une livre, deux shillings et neuf pence comptant, ainsi qu'une corvée de deux jours. Plusieurs autres conditions étaient également incluses dans ce contrat[41].

Les relations des Acadiens avec leur propriétaire et avec leurs voisins anglais devinrent critiques avec le temps. Le père John C. Macmillan en expose le problème dans son livre intitulé, *The Early History of the Catholic Church in Prince Edward Island:*

> La conduite agaçante des voisins protestants fut un autre revers pour les Acadiens. Il s'agissait principalement de colons anglais venus d'Angleterre à la demande du colonel Compton. À peine arrivés à Malpèque, c'est avec un regard de convoitise qu'ils commencèrent à contempler les belles fermes défrichées par les Acadiens. Ils ne tardèrent pas à profiter de la malheureuse situation de ces derniers

---

40. «Lettre de l'abbé Angus Bernard MacEachern, St. Andrews, I.P.E., à Mgr Plessis», le 5 novembre 1805. AAQ, série 310, C.N. I:34. Traduction de l'auteur.
41. «Indenture between Harry Compton and the Tenants of St. Eleanors Village, March 1st, 1807». PAPEI, Conveyance Register, liber 16, folio 45.

pour prendre facilement possession de leurs fermes. Ils tirèrent parti de la défiance mutuelle qui existait entre le propriétaire et ses tenanciers, aussi de la peur innée que les Acadiens manifestaient envers les Anglais. Les nouveaux arrivants jouèrent ainsi sur la sensibilité de ce peuple candide au point de leur rendre la vie peu confortable.[42]

En octobre 1812, le père Beaubien, missionnaire s'occupant des Acadiens insulaires, fit savoir à son évêque que le colonel Compton était indisposé à l'égard des Acadiens de Malpèque:

> Pour Malpec, les habitants sont comme ils étaient à la passée de votre grandeur. J'ai vu dernièrement M. Compton qui était indisposé contre eux, surtout envers Placide Arseneau qui n'avait pas voulu parcourir Malpec pour lui le dimanche pendant que j'y chantais la messe et les vêpres ce qui était fort bien fait. Il fut jusqu'à lui dire qu'il pourrait arrêter la messe si on ne voulait pas faire ce qu'il voudrait, et peut-être encore quelqu'autre sotise, tout celà n'a rien été. Quoiqu'il en soit je crois que les pauvres malheureux finiront par en partir.[43]

Cette lettre est très révélatrice de l'envergure du différend qui existait entre le propriétaire Compton et ses locataires acadiens.

C. *Le départ de Malpèque*

Les exigences du propriétaire, le colonel Compton, aussi bien que les mauvais traitements des voisins anglais, incitèrent les Acadiens à quitter les terres qu'ils avaient louées pour aller s'installer ailleurs. En 1812, quelques familles laissèrent Malpèque pour se

---

42. Rev. John C. Macmillan, *The Early History of the Catholic Church in Prince Edward Island,* Québec, 1905, p. 174. Traduction de l'auteur.
43. «Lettre de l'abbé Beaubien de Rustico, à Mgr Plessis», le 3 octobre 1812. AAQ, série 310, C.N. I: 39.

diriger vers le lot 15 où ils y fondèrent les paroisses de Mont-Carmel et de Baie-Egmont. Elles furent bientôt suivies par un nombre considérable de familles[44].

En 1813, le colonel Compton aurait offert aux Acadiens de devenir propriétaires de ces fermes en location, moyennant la somme d'une livre l'acre[45]. Ce prix était probablement trop élevé pour les Acadiens qui préférèrent quitter ces terres pour s'établir à l'écart des Anglais dans le lot 15. Celui-ci était vacant à leur arrivée. Il fut d'ailleurs confisqué en 1817 par le gouvernement de l'Île parce que le propriétaire ne lui payait pas sa redevance («*quit rent*»)[46].

Le colonel Compton devint un peu plus conciliant lorsqu'il vit qu'il perdait tous ses locataires acadiens. En 1816 il vendit, pour une somme de six cent vingt-cinq (625) livres, six mille acres de son lot aux Acadiens qui y demeuraient encore. Les terres furent divisées entre les familles fondant ainsi la paroisse de Miscouche[47]. Enfin on se libérait entièrement du joug du colonel Compton.

3. Comparaison des variantes

Dans une certaine mesure, la chanson *L'exode des Acadiens de la Baie de Malpèque* est ésotérique. Une personne non avertie de l'histoire des Acadiens de la Baie de Malpèque et de Baie-Egmont, ne saurait la comprendre en entier par une simple lecture ou audition. Pour en assurer une bonne compréhension

44. Blanchard, *Album-Souvenir, 150ᵉ Anniversaire. Paroisse St-Philippe et St-Jacques, Baie-Egmont, I.-P.-É.,* Moncton, L'imprimerie Acadienne Ltée, 1962, p. 14.
45. Rev. Alfred Burke, «Mission of S.S. Philip and James, Egmont Bay», *Catholic Parishes in Prince Edward Island,* CEA, manuscrit.
46. *Illustrated Historical Atlas...,* p. 5.
47. Blanchard, *Histoire des Acadiens de l'Île du Prince-Édouard,* p. 104.

et pour en dégager les principales variantes, nous nous appliquerons à comparer les quatre versions que nous connaissons. Il sera également question d'élucider chacun des faits relatés en produisant à l'appui, dans la mesure du possible, des documents historiques.

Le premier couplet n'a été conservé que dans la version du père Pierre-Paul Arsenault. Il renferme le thème principal de la complainte, soit l'exploitation des Acadiens par leurs voisins anglophones :

> Qui est la cause que nous *sont* ici ?
> C'est les mauvais gens de notre pays.
> Tout d'une bande
> Contre les Acadiens
> Et tous ensemble
> Ils vivons de nos biens. (A)

Une certaine ambiguïté se présente dès le premier vers. Est-ce que le mot « ici » désigne Malpèque ou Baie-Egmont ? D'un côté il est possible que l'auteur voulut dire Malpèque. Nous savons qu'après la Déportation, les Acadiens s'installèrent sur les lots 13 et 14, et qu'en 1770 le gouvernement Patterson les fit déménager sur son territoire, le lot 17[48]. On ne doit pas négliger toutefois la possibilité que l'auteur pensait à Baie-Egmont en composant ce vers. Rappelons-nous que l'auteur s'y trouvait lorsqu'elle composa sa chanson, et que les mauvais traitements des propriétaires anglais étaient la cause de leur émigration.

Les personnes que l'auteur qualifie de « mauvais gens de notre pays » sont sans doute les Anglais du lot 17. L'abbé Angus B. MacEachern écrivait en 1813 à son évêque, Monseigneur Plessis : « Je suis peiné d'apprendre que les pauvres Acadiens du Lot 17 se préparent à déménager à Baie-Egmont dans le Lot 15.

---

48. Voir p. 93.

On dit que leurs voisins leur causent des ennuis, tant au spirituel qu'au temporel[49]. »

Le père Pierre-Paul Arsenault parle également de ces «mauvais gens» dans sa brève histoire de la paroisse de Mont-Carmel :

> C'était en 1812, près de Malpèque, à une place nommée La Fleur, vivaient plusieurs Acadiens, mais les mauvais traitements que leur faisait endurer le Major Compton, joints à la malice et aux insultes des colons anglais, les forcèrent d'abandonner leurs terres et chercher ailleurs une place, éloignée de ces tracassiers et plus en rapport avec leur vie paisible.
>
> Au nombre de ces persécuteurs il y en avait un nommé «Green», qui à cause de ses cruautés fut surnommé «Chien Green.»[50]

Le major Compton dont fait mention le père Arsenault était Thomas Compton, fils du colonel Harry Compton[51]. Quant au nommé «Green», il est question soit de Daniel Green, un loyaliste qui fut parmi les premiers anglophones à s'établir dans le lot 17[52], soit de Samuel Green qui vint de l'Angleterre s'établir vers 1806 sur les terres du colonel Compton à l'invitation de ce dernier[53].

Les deux derniers vers du premier couplet introduisent en quelque sorte les deux couplets qui suivent. On y aborde le sujet des redevances que doivent payer les Acadiens aux propriétaires anglais. Les

---

49. «Lettre de l'abbé Angus Bernard MacEachern, de Charlottetown, à Monseigneur Plessis», le 22 octobre 1813. AAQ, série 310, C.N. I:46. Traduction de l'auteur.
50. Père Pierre-Paul Arsenault, *Premier Centenaire de la paroisse de Mont-Carmel, Île-du-Prince-Édouard, 1812-1912*, Moncton Imprimerie de l'Évangéline, 1912, p. 7.
51. Compton, «The First Settlers of St. Eleanors», p. 171.
52. *Illustrated Historical Atlas of the...*, p. 12.
53. Robert A. Rankin, *Down at the Shore: A Social History of Summerside, Prince Edward Island (1710-1910)*, un manuscrit en voie de publication, p. 23.

deuxième et troisième strophes indiquent deux de ces exigences:

> À peine cueillons-nous un peu de blé
> Qu'il faut aussitôt aller leur porter... (B)

> À n'importe quelle condition qu'nous soyons
> Il faut leur donner chacun un mouton... (B)

Un des baux par lesquels les Acadiens s'engagèrent à payer des rentes au colonel Compton pour l'occupation de ses terres, regroupe les noms et les marques de vingt et un Acadiens de Malpèque. Ce bail, en date du 1er mars 1807, stipule dans une de ses clauses que chaque tenancier doit remettre annuellement au propriétaire «... dix boisseaux de bon blé vendable, un bon belier châtré, une livre, deux shillings et neuf pence en monnaie légale de cette province...[54]». Cet extrait corrobore très bien les vers cités ci-dessus.

Les autres vers de ces deux couplets décrivent la pauvreté de ces habitants ainsi que la misère qu'ils éprouvent à vivre avec toutes ces exigences de leur propriétaire. Au troisième vers du deuxième couplet, on qualifie même ces Anglais de «gens barbares».

Le quatrième couplet raconte le départ proprement dit de Malpèque:

> Nous voyant ainsi maltraités,
> Nous *fûmes* résous de nous en aller.
> De poste en poste
> Ne sachant où aller
> C'est à la Roche
> Qu'on a venu demeurer. (A)

Selon la tradition, le départ se serait fait en canot d'écorce ou en pirogue. Ces Acadiens seraient partis de la Baie de Bédèque et auraient suivi le littoral jusqu'à Mont-Carmel où plusieurs s'installèrent. Les autres se seraient rendus jusque dans la Baie-Egmont[55].

---

54. «Indenture between Harry Compton and the Tenants of St. Eleanors Village, March 1st, 1807».
55. Blanchard, *Album-Souvenir, 150e Anniversaire...*, p. 14.

Ils baptisèrent leur nouvelle colonie du nom de «La Roche». Ce nom fut choisi en raison d'un rocher escarpé qui était situé dans la baie près de Maximeville[56]. Ce toponyme est pratiquement disparu de l'usage de nos jours. Il a été supplanté assez tôt par «Egmont Bay», nom que reçut la baie en 1765 par l'arpenteur Samuel Holland[57].

La première année passée à La Roche ne fut pas des plus heureuses pour ces pionniers. De fait, la première récolte fut détruite par des souris. Citons à ce sujet l'historien J.-H. Blanchard:

> Arrivés en ces lieux, les hommes se mirent résolument à l'œuvre. Il fallut abattre la forêt et préparer de petits coins de terre pour y planter des patates, — la première culture qu'il fut possible de faire cette première année. Malheureusement les mulots (souris) ravagèrent toute cette récolte, et pendant le premier hiver, tout le monde dut subsister de poisson et des produits de chasse.[58]

Le cinquième couplet, le seul par ailleurs à figurer dans les quatre versions, rapporte cet étrange fléau:

> La première année qu'on a été ici
> Nous *avons* été ruinés par les souris.
> Dieu par sa grâce
> A fait l'année suivante
> Une abondance
> De grains et de froments. (A)

Les deux derniers vers de ce quatrain varient dans la version fragmentaire de Madame André Arsenault. Elle les donne comme suit:

---

56. Ce rocher porte le nom de «*Dutchman Rock*». Il n'existe plus, s'étant effondré lors d'une tempête en 1909. (Renseignement tiré du journal de Joseph P. Arsenault, Abram-Village, I.-P.-É.).
57. Alan Rayburn, *Geographical Names of Prince Edward Island*, Ottawa, Department of Energy, Mines and Resources, 1973, p. 47.
58. Blanchard, *op. cit.*, p. 14.

Dieu par sa grâce
Nous a donné du blé
En grande abondance
Pour mettre dans nos greniers. (C)

Quant à la strophe suivante, elle précise la quantité de blé récolté la deuxième année:

N'ayant pu semer qu'un boisseau de blé,
Vingt-trois boisseaux nous avons récoltés.
La Providence
Nous a favorisés
D'une abondance
Plus qu'on peut espèrer [*sic*]. (A)

Ce couplet n'a été recueilli qu'en une seule version.

Du septième au treizième couplet, l'auteur relate un incident arrivé à son père. Elle dit qu'ils sont assez contents d'être venus à La Roche, mais qu'ils ont bien du souci pour leur père qui est resté à Malpèque. Ils craignent que les Anglais lui causent du malheur.

Leur crainte était bien légitime. Un jour, dit la complainte, lorsque leur père alla pour soigner son cheval, il trouva une note l'avertissant de quitter le village, sinon ils seraient tous «assassinés» et mis «au pillage». En apprenant la nouvelle, ses enfants allèrent le chercher pour l'éloigner du danger.

Cet incident a été rapporté par quelques historiens. Le père Alfred Burke dit que cela est arrivé à un Joseph Arsenault, surnommé «Joe League and a half», qui fut un des derniers Acadiens à quitter Malpèque. Toujours selon le père Burke, Joseph Arsenaut, qui jouissait d'un niveau de vie raisonnable, était établi sur une ferme de cinq cents acres sur le domaine de Harry Compton. Après un certain temps, une famille anglaise vint s'établir sur la ferme adjacente. Elle fut bientôt hantée par l'idée de voir son voisin acadien quitter sa terre. Un jour, alors que Joseph Arsenault était absent du village, le voisin anglais, prenant avantage du caractère docile de la

femme acadienne, fit écrire par son épouse une note qu'il attacha à l'aide d'une fourche sur la porte de la grange du fermier acadien. Cet avis disait que si la famille Arsenault ne quittait pas immédiatement le village, on la passerait à la fourche à foin à l'exemple de ce papier. Au dire du père Burke, Madame Arsenault quitta hâtivement le village avec ses enfants et se réfugia à Baie-Egmont[59].

Le fait relaté par le père Burke ne correspond pas exactement à celui que donne la chanson. D'abord, l'écrit fut trouvé par le fermier, dit la complainte, alors que selon le père Burke, ce serait l'épouse de Joseph Arsenault qui l'aurait trouvé. Les deux récits ne s'entendent pas sur un second détail. Le père Burke écrit que Madame Arsenault, en trouvant la note, se dépêcha de quitter le village avec ses enfants. De son côté, la complainte dit que ce sont les enfants qui sont allés chercher leur père:

> Ses pauvres enfants avertis de cela
> Sans regarder même aucun embarras,
> Leur pauvre père
> Ils ont 'té retirer
> De la fureur
> De ces loups enragés. (B)

Le Joseph Arsenault dont il est question est né en 1744[60]. Il aurait donc été âgé de soixante-huit ans en 1812. En raison de son âge relativement avancé, nous pouvons supposer qu'à cette date la plupart de ses enfants étaient déjà mariés et avaient quitté le foyer paternel.

Un autre prêtre historien, le père John C. Macmillan, rapporte lui aussi ce récit qui se rapproche beaucoup de celui de la chanson:

---

59. Rev. Alfred E. Burke, «Mission of S.S. Philip and James, Egmont Bay».
60. Bona Arsenault, *Histoire et généalogie des Acadiens,* Québec, Le Conseil de la Vie française en Amérique, 1965, t. 2, p. 888.

Une tradition toujours vivante parmi les Acadiens relate comment un des premiers tenanciers du colonel Compton, nommé Joseph Arsenault, trouva, un certain soir qu'il rentrait de son travail, un avis placardé à la porte de sa grange le menaçant de violence s'il ne vidait pas les lieux immédiatement. La note, attachée à l'aide d'une fourche à foin, avertissait le propriétaire de la grange qu'il risquait un traitement pareil s'il retardait son départ.[61]

Selon le père Macmillan, Joseph Arsenault était en quelque sorte le chef de file de la communauté acadienne à Malpèque:

Monsieur Arsenault était un homme d'influence considérable dans la communauté. Il était dans un certain sens un leader parmi les siens. Il défendait leurs droits avec audace et parlait avec une franchise brutale lorsque venait le moment de condamner leurs erreurs. Il résista à l'agression des Anglais, faisant face à ces avides immigrants dans leurs efforts pour prendre possession des fermes productives des Acadiens. Il était donc nécessaire que les agresseurs se débarrassent de lui à cause de son évidente hostilité.[62]

Cet incident dont Joseph Arsenault fut victime inspira probablement l'auteur d'une autre page d'histoire acadienne, celle-ci publiée dans *L'Impartial illustré* en 1899. Cette publication soulignait le centenaire de la fondation de la paroisse de Tighish. En voici un extrait:

Ces fils de la fière Albion sachant que les conditions de la paix qui avait mis fin aux hostilités ne leur permettaient plus de livrer une guerre ouverte, eurent recours aux moyens les plus vils et continuèrent contre les Acadiens une persécution systématique pour leur faire abandonner leurs belles terres

---

61. Rev. John C. Macmillan, *The Early History of the Catholic Church in Prince Edward Island*, p. 175. Traduction de l'auteur.
62. *Ibid.*

afin de les accaparer. Le père s'absentait-il, l'Anglais tâchait de se faufiler dans la maison et semait la terreur dans la famille par ses menaces. La nuit pendant que les familles acadiennes dormaient, des placards étaient affichés à leurs portes, les menaçant de les faire brûler dans leurs maisons s'ils ne s'en allaient. [63]

Nous constatons comment les faits varient d'une façon remarquable dans cet article par rapport à ceux donnés dans la complainte et par les deux historiens déjà cités. Nous osons croire cependant que l'auteur a quelque peu dramatisé cet épisode.

Il existe peu de variantes de ces vers. Notons que les couplets 8 et 13 sont exclusifs à la version du père Pierre-Paul Arsenault. La seule variante qui mérite d'être notée est au troisième vers du neuvième couplet. Madame Emmanuel Gallant chante ce vers de la façon suivante: «Dedans sa route a trouvé un écrit» (B). Quant à Madame Lucien Arsenault, elle précise où la note fut trouvée: «Dans une fourche a trouvé un écrit» (D).

Les douzième et treizième strophes sont avant tout émotionnelles, n'apportant aucun fait historique. L'auteur fait voir la tragédie que la mort de son père aurait été pour elle et pour les autres membres de la famille. Enfin, elle dit qu'il faut être reconnaissant envers la Providence qui eut la bienveillance de retirer son père de la misère.

Le quatorzième couplet, qui comprend la signature de l'auteur, frappe par son originalité. Le voici tel que nous l'a chanté Madame Emmanuel Gallant:

> Celle qui a composé la chanson,
> Si vous voulez, j'vas vous la nommer.
> C'est la p'tite Julitte, blanche et blême,
> C'est Dieu qui l'a mis' de même.
> N'en dites rien, laissez-la comme elle est,
> C'est les couleurs que Dieu y a données. (B)

---

63. *L'Impartial illustré*, Tignish, I.-P.-É., [1899], p. 4.

L'auteur de la chanson, «la petite Julitte», était fille de Joseph Arsenault (dit *League and a half*). Elle épousa Placide Arsenault à une date qui nous est inconnue. Ce couple fut parmi les premiers Acadiens à déménager à Baie-Egmont[64].

Le quinzième et dernier couplet a seulement été conservé dans la version du père Pierre-Paul Arsenault. À travers ce quatrain ressort l'humilité de l'auteur qui s'excuse de ne pouvoir bien chanter, n'ayant pas reçu ce don de Dieu :

> Si ma chanson n'est pas bien chantée
> Je vous *prie* de m'excuser.
> Car Dieu donne à sa créature,
> À chacun selon sa nature.
> Y en a qu'ont le don de bien chanter.
> Bien loin de là moi j'ai passé. (A)

4. Considérations sur la forme et le style

La complainte *L'exode des Acadiens de la Baie de Malpèque* est originale dans sa forme. Elle com-

---

64. CEA, notes généalogiques de Placide Gaudet.

Selon des témoignages recueillis de deux dames bien renseignées de Baie-Egmont, Madame Mélanie Arsenault et Madame Madeleine Gallant, âgées en 1976 de 87 et 78 ans respectivement, le père Pierre-Paul Arsenault aurait recueilli un certain nombre de chansons de la fille de l'auteur de la complainte en question. Nommée Agnès, elle était mariée à Fidèle Arsenault. Elle décéda âgée de 97 ans, le 11 octobre 1909 (*L'Impartial,* le 30 novembre 1909). Il est donc possible que ce soit elle qui donna le texte de la complainte au père Arsenault.

Cette même vieille dame servit d'informatrice au père John Macmillan lorsqu'il effectuait la recherche pour son livre, *The Early History of the Catholic Church in Prince Edward Island.* Ce fut probablement d'elle qu'il recueillit les faits entourant la fuite de Joseph Arsenault, son grand-père, ce qui expliquerait la ressemblance de ce récit au texte de la complainte. Ce renseignement, nous l'avons obtenu de la petite-fille d'Agnès Arsenault, soit Madame Augustin J. Arsenault, d'Urbainville, Baie-Egmont.

prend deux genres de strophes de six vers ainsi que deux mélodies distinctes.

Les onze premiers couplets de forme hétérométrique sont caractérisés par la formule strophique 10-10-5-6-5-6. Quant à la rime, elle suit la formule aabcbc. Les quatre dernières strophes comportent une mesure plutôt irrégulière, comptant souvent sept ou huit pieds. Ici, c'est la rime sans alternance qui est employée.

La mélodie des premières strophes, dont nous n'avons pu identifier le timbre, est plutôt du genre solennel alors que celle qui suit est beaucoup plus légère. Il s'agit d'un air bien connu qui a servi de mélodie à plusieurs chansons comiques d'origine acadienne[65]. Ce timbre est aussi la mélodie de la chanson traditionnelle *Quand trois cannes s'en vont aux champs*[66].

Il serait intéressant de savoir ce qui inspira cette forme à l'auteur de la chanson. Madame Emmanuel Gallant nous dit que la «petite Julitte», trouvant sa chanson trop longue, décida d'en rompre la monotonie en donnant une nouvelle mélodie aux derniers couplets.

Le scénario de cette chanson revêt les caractéristiques générales dépistées pour l'ensemble des complaintes composées à l'Île-du-Prince-Édouard. Il y a d'abord l'introduction qui prend ici une forme particulière: l'auteur introduit le sujet par une question et une réponse. Du deuxième au onzième couplet, le plan narratif prend une grande importance. L'auteur y relate, dans un style assez direct, l'expérience dramatique vécue par sa famille. Pour ce qui est de l'aspect émotif, on le retrouve notamment dans les strophes douze et treize dans lesquelles l'auteur

---

65. Voir «Faux-Manche», Anselme Chiasson et Daniel Boudreau, *Chansons d'Acadie,* 4e série, s.l., [1972], p. 10; coll. Georges Arsenault, enreg. 203, «Marie à Jude».
66. Chiasson et Boudreau, *Chansons d'Acadie,* 3e série, Montréal, La Réparation, [1946], p. 8.

dévoile ses sentiments face aux événements qui lui sont arrivés. Enfin, dans la conclusion qui englobe les deux derniers couplets, l'auteur s'identifie et s'excuse de ne pas bien chanter.

La plus grande partie de la complainte est composée à la première personne du pluriel. Ce « nous » représente successivement les Acadiens de Malpèque, les fondateurs de Baie-Egmont, et la famille de l'auteur.

Le vocabulaire est relativement simple, mais on y trouve par contre quelques expressions à tendance littéraire, telles les suivantes:

> À la fureur de ces lions
> Qui ont *dessein* d'agir en trahison (A)

> De la fureur
> De ces loups enragés. (A)

> Ciel pour nous quel triste sort
> Si notre père eut été mis à mort. (A)

La conjugaison des verbes varie d'une version à une autre; tantôt on emploie le passé simple, tantôt le passé composé. De même, la conjugaison obéit parfois aux règles du français standard et quelques fois à celles du parler populaire acadien. Nous pouvons illustrer cela en mettant en parallèle le premier vers du cinquième couplet des quatre versions:

> La première année qu'on a été ici ... (A)
> La première année qu'nous furent ici ... (B)
> Première année que j'ons venu ici ... (C)
> La première année que nous sommes ici ... (D)

Somme toute, nous constatons que la chanson a le caractère d'une composition populaire créée de toute évidence par une personne analphabète.

En terminant l'étude de cette complainte, nous devons à nouveau souligner son importance historique. Elle constitue, en tant que document, un apport important à l'étude de la petite histoire des Acadiens de l'Île-du-Prince-Édouard.

CHAPITRE II

Xavier Gallant — Le meurtrier de sa femme

De toutes les complaintes composées par les Acadiens de l'Île-du-Prince-Édouard, celle faisant l'objet de ce chapitre et portant le titre *Le meurtrier de sa femme*[1], est celle que nous avons réussi à faire remonter le plus loin dans le temps. Elle fut composée à la suite d'un meurtre commis en 1812 chez les Acadiens demeurant à la Baie de Malpèque. Il s'agit du meurtre de Madeleine Gallant par son époux, Xavier.

La complainte ne révèle cependant pas le nom du meurtrier et de sa victime, ni souffle-t-elle mot quant au lieu et à la date de ce drame. Toutefois, quelques informateurs ont retenu, par la tradition orale, le nom de l'assassin aussi bien qu'un nombre important de faits se rapportant à cette affaire. Nous devons signaler que les descendants de Xavier Gallant sont nombreux dans les paroisses de Baie-Egmont et de Mont-Carmel où nous avons effectué beaucoup d'enquêtes folkloriques.

Peu à été publié à propos de ce meurtre. L'historien J.-Henri Blanchard écrit que Xavier Gallant, marié à Madeleine Doucet, «tomba en démence, et tua sa femme vers l'année 1795». Il ajoute qu'on le mit en prison à Charlottetown où il mourut après quelques semaines[2]. Le père Patrice Gallant répète textuellement la note de Blanchard dans sa généalo-

---

1. Conrad Laforte, *Le Catalogue de la chanson folklorique française.*
2. Blanchard, *Rustico — Une paroisse acadienne de l'Île du Prince-Édouard*, p. 93.

gie des Gallant[3]. Par contre, Hubert G. Compton, dans un article intitulé «The First Settlers of St. Eleanors», situe le meurtre dans l'année 1806[4]. Il donne également plusieurs détails intéressants ayant trait au meurtre. Nous en ferons état au cours de ce chapitre.

Heureusement, les documents de première main concernant le meurtrier et le meurtre en question sont assez nombreux et nous renseignent d'une façon suffisamment détaillée sur la plupart des circonstances qui ont entouré l'événement[5]. Nous pouvons donc à la lumière de ces documents expliquer plusieurs faits ambigus que contiennent la complainte, la légende et les quelques notes publiées.

Pour mener à bonne fin cette étude pour laquelle nous disposons d'une abondante documentation, nous avons établi quatre divisions majeures. La première comprendra une présentation de la complainte qui sera suivie, dans un deuxième temps, de la biographie de Xavier Gallant telle que reconstituée par les documents. Le troisième volet sera consacré à l'étude comparée des nombreuses versions, alors que dans la dernière partie nous verrons comment la légende a traité l'histoire de ce drame.

1. Présentation du texte

Le meurtre de Madeleine Gallant par son mari fut certainement un événement qui marqua à l'époque la population acadienne de l'Île-du-Prince-Édouard. À

---

3. Père Patrice Gallant, *Michel Haché-Gallant et ses descendants,* Sayabec, 1970, tome 2, p. 35.
4. Hubert G. Compton, «The First Settlers of St. Eleanors», p. 169.
5. Nous sommes particulièrement reconnaissant envers le personnel des «Public Archives of Prince Edward Island» et envers Madame A. K. Morrow de Halifax, qui nous ont fait prendre connaissance de plusieurs de ces documents.

notre connaissance, ce fut le premier meurtre commis chez les Acadiens insulaires.

La chanson composée d'après ce drame est encore chantée de nos jours. Jusqu'à présent elle a été recueillie en vingt-six versions, et ce, dans l'Île-du-Prince Édouard, dans le Nouveau-Brunswick et dans le Québec. Les versions québécoises proviennent des îles de la Madeleine, de la Gaspésie et de la Côte Nord, soit des «petites Acadies québécoises».

De toutes les versions recueillies, aucune n'est complète. Celle de Placide Vigneau, de Havre-Saint-Pierre, compte le plus de vers, soit quarante-deux. Par contre, en comparant les vingt-six versions, on peut dégager cinquante-quatre vers différents. Nous remarquerons que les quatre versions recueillies à l'Île-du-Prince-Édouard, c'est-à-dire à leur lieu d'origine, sont fragmentaires. Quoique nous n'ayons pu enregistrer que quelques versions fort incomplètes, plusieurs insulaires nous ont assuré qu'ils avaient déjà entendu chanter cette chanson par des personnes aujourd'hui décédées.

La complainte *Le meurtrier de sa femme* s'avère donc mieux conservée à l'extérieur de l'Île-du-Prince-Édouard. Le Nouveau-Brunswick se distingue avec dix-sept versions dont la plupart ont été recueillies dans les comtés de Gloucester et Northumberland[6]. La popularité de cette chanson dans le Nord-est du Nouveau-Brunswick pourrait peut-être s'expliquer du fait que les parents de Xavier, et quelques-uns de ses frères, habitaient cette région où l'on retrouve encore aujourd'hui de leurs descendants. Notons que la mère de Xavier est décédée à Shippagan le 13 avril 1814[7].

---

6. Nous voulons témoigner ici notre reconnaissance envers nos amis folkloristes, Robert Bouthillier et Vivian Labrie, pour leur contribution à cette étude. Au cours de leurs enquêtes dans le Nord est du Nouveau-Brunswick en 1976, ils ont demandé à leurs informateurs *Le meurtrier de sa femme* et en ont enregistré onze versions qu'ils ont eu l'amabilité de me communiquer.

7. Gallant, *op. cit.,* p. 33.

Voici, classées dans un ordre géographique et alphabétique, les vingt-six versions du *Meurtrier de sa femme.*

Liste des versions

Île-du-Prince-Édouard

A. *Prince, Baie-Egmont, Abram-Village.* Coll. Georges Arsenault, enreg. 648. [Ma femme j'ai grand' envie.] Chantée par Madame Arcade S. Arsenault, née Hélène Gallant, 83 ans, le 30 juillet 1974. Chanson apprise de sa mère. 10 vers.

B. *Prince, Baie-Egmont, Saint-Gilbert.* Coll. Georges Arsenault, enreg. 1205. [Oh! ma femme j'ai grand' envie.] Chantée par Madame Antoine Arsenault, née Hélène Bernard, 85 ans, le 4 septembre 1975. Chanson apprise de sa mère qui ne la savait pas entièrement. 6 vers.

C. *Prince, Palmer Road, Saint-Édouard.* Coll. Georges Arsenault, enreg. 983. [Ma femme j'ai grand' envie.] Chantée par Madame Benoît Allain, née Denise Gaudet, 66 ans, le 4 août 1975. 6 vers.

D. *Prince, Tignish.* Coll. Georges Arsenault, ms. 214. «Complainte de Xavier.» Recueillie de Madame Joseph Richard, née Marie LeClair, 87 ans, le 10 février 1978. 22 vers.

Nouveau-Brunswick

E. *Gloucester, Saint-Isidore, Haut Tilley Road.* AF, coll. R. Bouthillier-V. Labrie, enreg. 1533. [Ma femme j'ai grand'envie.] Chantée par Sandy Jones, 73 ans, le 16 septembre 1976. 18 vers.

F. *Gloucester, Saint-Isidore, Haut Tilley Road.* AF. coll. R. Bouthillier-V. Labrie, enreg. 1885. [Ma femme j'ai grand' envie.] Chantée par Suzanne Brideau, née Morais, 76 ans, le 28 septembre 1976.

Chanson apprise de sa belle-mère qui ne la savait pas entièrement. 10 vers.

G. *Gloucester, Sainte-Rose.* AF, coll. J.-T. LeBlanc, ms. n° 889. «Sous un haricot il l'a tuée». Texte fourni par Madame Édouard Noël. 26 vers.

H. *Gloucester, Sheila.* AF. coll. R. Bouthillier-V. Labrie, enreg. 949. «Écoutez la complainte.» Chantée par Madame Dominic Sonier, née Catherine Savoie, 74 ans, le 19 juillet 1976. 32 vers.

I. *Gloucester, Sheila, Saint-Pons.* AF, coll. Roger Matton enreg. 186. «Écoutez la complainte.» (L'homme païen.) Chantée par Benoni Benoît, 56 ans, le 21 juillet 1958. 32 vers.

J. *Gloucester, Sheila, Val-Comeau.* AF, coll. R. Bouthillier-V. Labrie, enreg. 1542. [Ma femme j'ai grand' envie.] Chantée par Henri Sonier, 67 ans, le 17 septembre 1976. Chanson apprise de Madame Maxime Breau, née Obéline McGraw. 25 vers.

K. *Gloucester, Sheila, Val-Comeau.* AF, coll. R. Bouthillier-V. Labrie, enreg. 1549. «Écoutez la complainte.» Chantée par Madame Livain Sonier, née Marie Richard, le 17 septembre 1976. Chanson apprise de sa mère.

L. *Gloucester, Tracadie.* AF, coll. R. Bouthillier-V. Labrie, enreg. 1349. [I' est toujours en armes.] Chantée par Hilaire Benoît, 71 ans, le 11 septembre 1976. Chanson apprise de Madame André McLaughlin, née Priscille Benoît. 17 vers.

M. *Kent, Acadieville.* CEA, coll. père Anselme Chiasson, enreg. 316. «Le mari assassin.» Chantée par Joseph-E. Maillet, 86 ans, le 11 juillet 1959. 30 vers.

N. *Kent, Adamsville, Harcourt.* CEA, coll. Collette-Banville, ms. n° 14. «Complainte.» Texte relevé dans un cahier de chansons écrit par Madame Henri Boucher, âgée d'environ 58 ans en 1975. 25 vers.

O. *Northumberland, Brantville.* AF, coll. R. Bouthillier-V. Labrie, enreg. 1369. [Écoutez la complainte.] Chantée par Madame Alphée Comeau, née Leclerc, 64 ans, le 12 septembre 1976. Chanson apprise lorsqu'elle était toute petite de sa tante Fernandine Brideau. 32 vers.

P. *Northumberland, Lagacéville, Saint-Laurent.* AF. coll. R. Bouthillier-V. Labrie, enreg. 1664. « Chanson de l'haricot. » Chantée par Madame Johnny Savoie, née Marguerite Sonier, 64 ans, le 20 septembre 1976. Chanson apprise de sa grand-mère. 12 vers.

Q. *Northumberland, Néguac, Bas-Néguac.* AF, coll. R. Bouthillier-V. Labrie, enreg. 1234. « La complainte. » Chantée par Madame Thomas Savoie, née Éva Richard, le 15 août 1976. Elle a appris cette chanson de ses parents à Sheila. Sœur de l'informatrice de la version J. 24 vers.

R. *Northumberland, Néguac, Bas-Néguac.* AF, coll. R. Bouthillier-V. Labrie, enreg. 1690. [Ma femme j'ai grande envie.] Chantée par Madame Ferdinand Basque, née Olive Gautreau, 90 ans, le 21 septembre 1976. Chanson apprise de Christin Haché quand elle avait 17-18 ans. 28 vers.

S. *Northumberland, Rivière-du-Portage, Pont-Gravé.* CEA, coll. Émérentienne Richardson, ms. n° 1. « Écoutez ma complainte. » Chanson recueillie auprès de Gilbert Vienneau, 50 ans, le 17 janvier 1972. 34 vers.

T. *Northumberland, Rivière-du-Portage, Pont-Gravé.* AF, R. Bouthillier-V. Labrie, enreg. 1306. « Écoutez la complainte. » Chantée par Gilbert Vienneau, 54 ans, le 20 août 1976. 26 vers.

U. *Northumberland, Rogersville.* CEA, coll. Lucille Chiasson, enreg. 20. [Sans faire aucune dispute.] Chantée par Madame Patrick Leblanc (Léoda), le 7 août 1975. 8 vers.

Québec

V. *Bonaventure, Port-Daniel.* CCECT, coll. Marius Barbeau, enreg. 3509. «Parlons d'un homme bien traître.» Chantée par Madame Florent Grenier, née Roy, en 1918. 8 vers.

W. *Bonaventure, Port-Daniel.* CCECT, coll. Marius Barbeau, enreg. 3560. «C'est un homme bien triste.» (Le Cadien qui avait tué sa femme.) Chantée par Frank Deraîche, âgé de plus de 70 ans, en 1923. Chanson apprise de Félix Bourque. 13 vers.

X. *Duplessis, Havre-Saint-Pierre.* «Complainte de Pinquan ou Paincan.» Extrait du quatrième cahier de chansons de Placide Vigneau (1857-1926). Chanson mise par écrit vers 1908. Manuscrit propriété de Gérard Gallienne de Québec. Photocopie déposée aux AF. 42 vers.

Y. *Îles de la Madeleine, Gros-Cap.* Coll. Georges Arsenault, ms. 177. «Complainte de Pinquin.» Communiqué par Avila Leblanc, le 27 septembre 1975. 24 vers.

Non localisée

Z. CCECT, coll. Alarie, enreg. 344. [Par un lundi matin.] Chantée par Estelle Donelle en 1947. 4 vers.

Les informateurs de toutes ces versions n'associent pas toujours la complainte à des personnes ou à un lieu précis. C'est le cas des informateurs néobrunswickois qui, pour la plupart, ne connaissent pratiquement rien sur le fond historique de cette chanson. Une informatrice de Néguac, Madame Ferdinand Basque, fut la seule à donner quelques renseignements utiles. Selon elle, le meurtrier en question serait l'arrière-grand-père d'Olivier Haché de Rivière-du-Porta-

ge[8]. Par contre, toutes les versions québécoises situent le meurtre en Acadie.

Placide Vigneau de Havre-Saint-Pierre, mit par écrit cette complainte vers 1908. Il fut d'ailleurs le premier à le faire. Originaire des îles de la Madeleine, il déménagea sur la Côte Nord en 1858[9]. Il tenait cette chanson de sa mère et d'Eusèbe LeBlanc. Il l'intitule «Complainte de Pinquin ou Paincan». Il s'agit, note-t-il, «d'un individu de l'île St Jean (Prince Édouard) qui tua sa femme Madeleine Chanet ou Genet au commencement du XIXe siècle, aux environs de 1800 à 1810». Et il ajoute: «Deux de mes grandes tantes [sic] paternelles, Henriette et Marie Cormier étaient cousines de cette femme[10].»

La version provenant des îles de la Madeleine porte également le titre «Complainte de Pinquin». Elle nous fut communiquée en 1975 par Avila Leblanc de Gros-Cap (version Y). Il nous écrivait: «La complainte de Pinquin est très ancienne aux Îles. J'ai apris [sic] par des vieillards qu'elle faisais [sic] allusion au premier meurtre acadien et ceci se passa à l'île St Jean...[11]»

Le titre de la complainte varie d'une version à une autre. La plupart du temps l'incipit du texte sert de titre. Seules la version des îles de la Madeleine et celle de la Côte Nord portent le titre «Complainte de Pinquin». Mais pourquoi ce titre lorsque le mot «Pinquin» n'apparaît pas dans le texte? Pour résoudre ce problème, référons-nous à une note généalogique que

---

8. AF, coll. R. Bouthillier-V. Labrie, enreg. 1690 (version R). Il serait intéressant de tracer la généalogie de cet Olivier Haché car il est possible qu'il ait une filiation à Xavier Gallant. Remarquons que les familles Gallant et Haché sont d'une même souche. Les descendants des frères de Xavier qui étaient établis dans le Nouveau-Brunswick portent aujourd'hui le nom de Haché. (Voir père Patrice Gallant, op. cit., pp. 72 et suiv.)
9. Rapport des Archives du Québec, Québec, ministère des Affaires culturelles, 1968, t. 46, p. XIV.
10. Note accompagnant la version X.
11. Lettre d'Avila Leblanc, Gros-Cap, îles de la Madeleine, à Georges Arsenault, le 27 septembre 1975.

donne l'historien J.-Henri Blanchard dans son livre sur l'histoire de Rustico. Il nous apprend que Xavier Gallant, dont deux des filles étaient mariées à des frères Martin de Rustico, était surnommé «Pinquaing[12]».

L'expression «pinquin» semble peu répandue dans le parler acadien. Le sénateur Pascal Poirier dit l'avoir entendue seulement dans l'Île-du-Prince-Édouard où le mot désigne un «plat composé de patates, de lard et de poulet mélangés et cuits dans une casserole[13]». Il l'écrit «pincan». Aujourd'hui, cette expression est peu connue chez les Acadiens de cette île. En revanche, le plat, encore très populaire, est communément appelé «râpure» ou «chiard».

Aux îles de la Madeleine, l'expression «pinquin» était autrefois connue mais dans un sens totalement différent. Chez les anciens Madelinots, une personne peu recommandable, voire même «traître à son voisin», était qualifiée de «pinquin[14]». Où chercher l'origine du sens donné à ce terme? Une hypothèse serait que la complainte elle-même en soit la source. Prenant pour acquis qu'elle fut bien connue dans les îles comme la «Complainte de Pinquin», il est donc possible que les gens, se référant à la chanson, qualifiaient de «pinquins» des personnes ayant un peu le caractère du meurtrier.

Comme nous l'avons déjà fait remarquer, aucune version du *Meurtrier de sa femme* n'est complète. Pour cette raison, et en considérant le nombre de variantes importantes qui se dégagent en comparant les vingt-six versions, nous ne nous restreindrons pas à présenter un seul texte. Plutôt, nous placerons en parallèle trois versions parmi les plus complètes. Et, afin d'assurer la représentativité des cinquante-quatre vers

---

12. *Rustico – Une paroisse acadienne de l'Île du Prince-Édouard*, p. 93.
13. Pascal Poirier, *Glossaire acadien*, Moncton, Centre d'études acadiennes, p. 363.
14. Lettre d'Avila Leblanc...

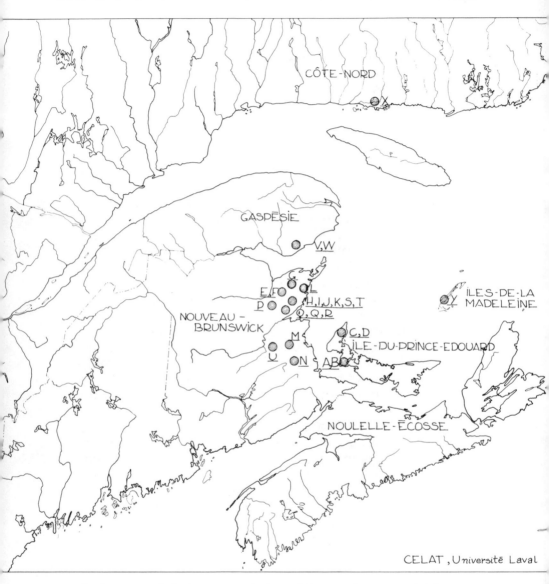

CELAT, Université Laval

de la complainte, nous intercalerons dans ce tableau deux vers d'une quatrième version.

Mais auparavant, voici un extrait, paroles et musique, de la version Q.

Complainte de Pinquan ou Paincan
Version Vigneau (X)

1. Écoutez la complainte
que je vas vous chanter
2. D'une chose étrange
qui vient d'arriver
3. C'est un homme bien traître
quoiqu'un accadien [sic]
4. De sa chère épouse
il en a vu la fin

5. Ainsi un beau dimanche
elle s'est lamentée
6. Qu'il fallait mettre ordre
à ses cruautées. [sic]
7. (Il est toujours aux armes
la nuit couche au grenier
8. Armé d'une hache
et d'un tisonnier.)*

9. Je vous prie mes chers frères
de venir l'arrêter
10. Prenez part à mes peines
car je crains le danger.
11. Un jour il dit à sa femme
j'ai une grande envie
12. D'aller dans les bois
viens à ma compagnie.

13. Il l'a prend et l'amène
près d'un haricot [pruche]
14. Et là sa pauvre femme
il la mit au tombeau.
15. Après ce grand carnage
retourne à sa maison
16. Ne faisant pas mine
de sa trahison
17. Puis il dit ensuite
à ses petits enfants
18. Je vas prendre la fuite
voilà mon argent.

Le mari assassin
Version Maillet (M)

. . . . . .
. . . . . .
. . . . . .
. . . . . .

C'est par un beau dimanche,
oh! il s'a bien lamenté
Qu'il voulait mettre ordre
à toutes ses cruautés.

. . . . . .
. . . . . .
. . . . . .
. . . . . .

Ma femme, j'ai grand' envie
d'aller dans le bois,
(Z) à ta compagnie
viens-t-en avecque moi.
Il emmène cette femme
sous un fait d'haricot
C'est ici l'infâme
qu'il la mise au tombeau.

. . . . . .

Après tout son carnage
il s'en va-t-à la maison
En faisant plus mine
ce tout son carillon
I' leur a dit ensuite
c'qui a été fait, aux p'tits enfants.
Pour moi je prends la fuite,
et voilà tout mon argent.

Écoutez la complainte
Version Benoît (I)

Écoutez la complainte
que je vas vous chanter
Sur une chose étrange
qui vient de s'arriver.
Ah! c'en était qu'un homme,
soit qu'il était païen
De sa pauvre épouse
il en a eu la fin.

. . . . . .
. . . . . .

Il est toujours aux armes,
la nuit couche au grenier
(Z) il est armé d'une hache
aussi d'un tisonnier.

Pour l'amour de Dieu, mes frères,
oh! veuillez l'arrêter,
Venez donc m'soulager
car je crains le danger.

Un jour dit à sa femme :
ah! oui, j'ai grand' envie
Aller dans mon champ,
viens-tu m'accompagner?
Il l'a prend, (z) il l'emmène
au pied d'un haricot
(Z) il a 'té si cruel
qu'il la place au tombeau.

Après son grand carnage
s'en r'tourne à la maison
Sans faire aucune mine
de son carillon.
Il dit à ses enfants:
je vous quitte mon argent,
Je m'en vas prendre la fuite,
à vous autres mon argent.

---

* Les vers 7 et 8 sont hors-texte. Mor'sieur Vigneau ne se souvenait plus des deux autres vers qui complétaient le quatrain.

19.	Ses enfants tout en larmes se sont dépêchés	Enfants fondant en larmes ah! ils avont accouru	Les enfants toutes en larmes s'empressirent aussitôt
20.	D'aller au village pour le faire arrêter	Dans le voisinage c'était pour avartir.	De courir au village faire punir le bourreau.
21.	On s'empresse au plus vite d'aller l'arrêter	Tout le monde se presse c'est d'aller la chercher	Le monde qui s'empresse de venir le chercher
22.	Le démon qui le porte a bien su le cacher	La chercher jusqu'au soir sans pour la trouver.	Le démon qui l'entraîne qui le tenait caché.
23.	Après plusieurs grandes messes promises au Saint Esprit	Là, plusieurs grand'messes promis' au Saint-Esprit,	....
24.	On voit le coupable revenu à demi.	l' ont vu le coupable l'ont vu venir de bord.	....
25.	Le lendemain à cinq heures on voit revenir	....	....
26.	Ce méchant qui pleure et qui meurt d'ennui.	....	....
27.	On le prie, on l'exhorte de vouloir montrer	....	....
28.	Le corps de la morte qu'il a enterré.	....	....
29.	Il fut près de la place où il l'avait mis [*sic*]	S'en va leur montrer la place là (y) où c'qu'il l'avait mis'.	....
30.	Et sans apparence il fut démenti. [*sic*]	l' a quitté l'apparence tel qu'on l'a démenti.	....
31.	Après bien des disputes ils se sont avancés	Sans aucune dispute ah! ils avont avancé,	À force de dispute i' a fallu s'approcher
32.	Le bord de sa jupe n'était pas caché.	Le bord de sa jupe en était fort caché.	Mais le bord de sa jupe en était pas caché.
33.	....	Elle était là nu-tête, la face contre terre,	(Z) al' était là bien morte et toute ensanglantée,
34.	....	La bouche amarrée et toute ensanglantée.	Le visage par terre et la bouche amarrée.
35.	....	Dis-moi, cœur sans pitié, cœur plus dur que pierre,	....
36.	....	Comment as-tu pu faire pour l'avoir tuée?	....
37.	....	Tu mérites que la terre sous tes pieds s'ouvrit	....
38.	....	Et méchant pour ton crime qu'a' t'engloutissit.	....

39. On a mis sur des planches
hélas ce pauvre corps
Pour faire voir au coupable
l'horreur de son tort.

40.

41. ....

42. ....

43. Puis on voulut l'instruire
sur l'affaire du salut
On ne put lui faire dire
qu'il était confondu.

44. ....

45. Ils ont pris le criminel
et l'ont enchaîné
Puis dans la prison
ils l'ont enfermé.

46. ....

47. ....

48. Et peu de temps ensuite
les poux l'ont mangé
Les épaules et les cuisses
jusqu'à la plante des pieds.

49. (Chrétiens, pour vous instruire
de jamais tuer
Vos chères épouses
lorsqu∍e vous en aurez.)**

50.

51.

52.

53.

54.

Il' ont pris le cadavre,
l'emportent à la maison
C'est pour servir d'exemple
à ses petits enfants.
Ces enfants tout en larmes
n'osirent point l'approcher
En disant quel malheur
qui nous est arrivé!

....

Il' ont pris le criminel,
oh! ils l'avont emmené
Su' le courounel,
c'est pour l'interroger.
On a beau qu'à l'instruire
su' la fin du salut,
Il' ont su 'i faire dire
qu'il était confus.

....

Au bout d'quelques années
la nouvelle est venue
Que le pauvre criminel
il allait être pendu.
Il a 'té assez longtemps
dans les cruelles prisons
Que les vers et les poux
l'aviont mangé aux (z)ous.

....

** Version Leblanc (P)

LE MEURTRIER DE SA FEMME

($\downarrow$=126) *Rubato*

VERSION Q

Les en-fants tout's en pleurs s'en vont au vil-lag'

c'est pour cher-cher leur mèr' qu'est dans ces bois per-due

Le mond' aus-si s'em-press' d'al-ler la cher-cher

Le dé-mon qui l'en-train' qui la te-nait ca-chée.

    La complainte *Le meurtrier de sa femme* est ano-
nyme. Cependant, Hubert G. Compton raconte dans
son article, «The First Settlers of St. Eleanors», qu'une
complainte aurait été composée au sujet de ce meurtre par une amie de la victime. Nous ne pouvons prouver que la chanson dont il fait mention est la même que
nous étudions. En effet, rien n'empêche que plus d'une
complainte ait été composée sur le même sujet. Quoi
qu'il en soit, son histoire est très intéressante et elle
mérite d'être citée:

    Il y a une épisode touchante ayant trait à ce crime.
La victime, du temps qu'elle était plus jeune, s'était
mérité l'affection d'une enfant, petite créature affli-
gée, qui, de quelque manière, avait perdu l'usage de
ses membres. L'enfant avait trouvé, en cette fille
pleine de santé, son idéal de la maturité féminine.
Avant et à l'heure de la mort de son amie, ce pauvre
enfant fréquentait celle qu'elle adorait, lui rendant
service dans son ménage dans la mesure que ses
faibles forces lui permettaient. Et ce dimanche-là, en
quittant son foyer, elle embrassa tendrement sa petite
amie à qui elle confiait la garde de ses deux enfants.
Mes lecteurs savent déjà que ces amies ne se sont

plus revues en ce monde. En apprenant la mort tragique de son amie, l'enfant restait inconsolable. Pendant plusieurs semaines, elle errait seule dans l'obscurité de la forêt, mangeant peu et se tenant à l'écart du monde. Elle avait une voix douce et on l'entendait souvent chanter dans sa solitude. Mais on prêta peu d'attention à ce qu'elle chantait jusqu'au moment où l'on se rendît compte qu'il s'agissait d'une complainte pour son amie disparue. À cette époque, la petite église se trouvait sur la ferme Pavilion. L'enfant, qui s'était fait d'autres amis, assistait aux services religieux.

Le prêtre, l'abbé de Calonne, connaissait l'histoire de l'enfant. Un dimanche, entre les services, alors que l'assemblée des fidèles était assise sur le bord d'un petit ruisseau qui coulait d'une colline non loin de l'emplacement de l'église, l'abbé demanda à l'enfant de chanter sa merveilleuse et singulière chanson. Elle répondit qu'elle ne pouvait pas, car c'était le dimanche. Elle voulait probablement dire par là que cette journée était toujours trop triste, car c'était en ce jour que son amie avait souffert son cruel destin. Mais après quelque temps, cédant devant l'insistance, elle entonna sa chanson triste à faire pleurer son auditoire.[15]

Ce récit est certes captivant et des plus touchants. Néanmoins, quelques corrections s'imposent. D'abord, le meurtre ne fut pas commis un dimanche comme le dit l'auteur, mais bien un jeudi[16]. Cependant, c'est le dimanche matin que l'assassin fut arrêté et qu'on trouva le corps de la victime[17].

Une deuxième rectification a trait à l'abbé de Calonne. Ce dernier, qui fut au service des Acadiens de

---

15. Compton, *loc. cit.,* pp. 169-170. Traduction de l'auteur.
16. « Inquisition taken by Coroner on the Body of Magdalene Galant, 16th June 1812. » Supreme Court Papers, PAPEI, record groupe 6.
17. *The King* vs *Francis Xavier Galant,* Supreme Court of Judicature, Friday July 4 : 1812. Report of trial by Charles Serani. PAPEI : Smith-Alley Collection.

l'Île à partir de 1799[18], avait définitivement quitté l'Île pour le Québec en 1804[19]. Après son départ, l'abbé Angus-Bernard MacEachern s'occupa des Acadiens jusqu'à l'arrivée de l'abbé Jean-Louis Beaubien en août 1812[20]. L'abbé Beaubien se dévoua à la mission acadienne de l'Île-du-Prince-Édouard jusqu'en 1818[21]. Il est donc probable que c'est à lui que Hubert G. Compton voulait faire allusion.

La vérification de cette chanson n'a rien de particulier. Les vers sont des alexandrins groupés en quatrains et comportent des assonances masculines rimant deux à deux. Les vers ne se répètent pas, exception faite pour les versions D, I et U. Relativement au vocabulaire, il est émaillé de plusieurs expressions acadiennes et se distingue par sa simplicité.

Le scénario de cette complainte est relativement simple. Le premier couplet tient lieu de préambule : l'auteur invite les gens à écouter sa chanson, annonce le sujet et identifie dans une certaine mesure le meurtrier et la victime. Le plan narratif domine nettement dans cette chanson. En effet, la plus grande partie du texte s'attarde à raconter les faits qui ont entouré le meurtre. Bien que le sujet fasse appel à l'émotion, les éléments émotifs proprement dits ne sont pas nombreux. L'auteur n'intervient qu'une seule fois (vers 35 à 38) pour y exprimer ses sentiments. Enfin, la conclusion, qui ne compte que deux vers, se résume à un avertissement.

18. Wilfred Pineau, *Le clergé français dans l'Île-du-Prince-Édouard 1721-1821,* Québec, Les Éditions Ferland, 1967, p. 68.
19. Blanchard, *Histoire des Acadiens de l'Île du Prince-Édouard,* p. 49.
20. *Ibid.,* p. 53.
21. *Ibid.,* p. 54.

2. La vie de Xavier Gallant

A. *L'homme et son meurtre*

Xavier Gallant est né de Louis Gallant et d'Anne Chiasson qui se sont mariés à Saint-Pierre-du-Nord à l'île Saint-Jean le 8 janvier 1753[22]. Lors de la Déportation des Acadiens de l'Île, ce couple, de toute évidence, s'est réfugié à Ristigouche dans le Nouveau-Brunswick. Là, ils y baptisaient un enfant le 9 janvier 1761. Son nom est omis dans le registre mais le père Patrice Gallant, généalogiste, présume que ce serait Xavier[23]. Plus tard, Xavier et deux de ses frères sont allés à l'île Saint-Jean pour y demeurer. Xavier y épousa Madeleine Doucet, probablement fille de Michel Doucet et Louise Belliveau[24].

Ce couple conçut huit enfants dont sept étaient vivants en 1812[25]. Ils étaient établis sur le lot numéro 16 en tant que locataires[26]. La terre qu'ils occupaient, contiguë à la baie de Malpèque, passa plus tard aux mains d'une famille anglaise et prit le nom de «Rose Hill Farm»[27].

Xavier Gallant tua son épouse le jeudi 11 juin 1812[28]. Il commit l'acte fatal dans le bois où il cacha le cadavre. Le dimanche suivant, les gens du village réussirent à appréhender le meurtrier qui les dirigea au-

---

22. Gallant, *op. cit.,* p. 33.
23. *Ibid.*
24. *Ibid.*
25. *The King* vs *Francis Xavier Galant,* Témoignage de Fidèle Galant.
26. *Illustrated Historical Atlas of the Province of Prince Edward Island,* p. 12.
27. *Ibid.*
28. «Inquisition taken by Coroner on the Body of Magdalene Galant, ... »

devant des restes mortels de sa victime[29]. Il fut ensuite transporté à la prison de Charlottetown[30].

B. *Son procès*

Le mardi 30 juin 1812, Xavier Gallant comparaissait en Cour suprême de l'Île-du-Prince-Édouard devant le juge-en-chef Casar Colclough et ses assistants, les juges Robert Gray et James Curtis[31]. Il plaida non-coupable au meurtre de son épouse.

Son procès eut lieu le vendredi suivant, soit le 3 juillet. Il fut d'une durée relativement courte, débutant à 9 heures du matin pour se terminer le même jour vers 19h30[32].

Le procureur-général engagea les poursuites pour la Couronne alors que James Bardin Palmer, conseiller juridique de la Couronne, fut assigné avocat du prisonnier[33]. Le jury était composé de douze hommes, tous anglophones[34].

Les témoins étaient au nombre de onze, à raison de six pour la Couronne et cinq pour la défense. Ceux produits par le procureur-général furent: Victor et Fidèle Galant, fils de l'accusé; John Baptist Galant, cousin de Xavier; Prospère Poirier; Daniel Campbell et le colonel Harry Compton[35]. De son côté, l'avocat de la

---

29. *The King* vs *Francis Xavier Galant.* Témoignage de Prospère Poirier.
30. «Petition of Caleb Sentner. Keeper of His Majesty's Gaol at Charlottetown...», September 21, 1813. PAPEI: Smith-Alley Collection.
31. *Weekly Recorder* (Charlotte Town), July 4, 1812, p. 135.
32. *Ibid.*
33. *The King* vs *Francis Xavier Galant.*
34. Les membres du Jury étaient W[illia]m McEwen, Ric[har]d Chappel, James Wilson, Peter Hewitt, Joseph Dingwell, Donald McDonald, George Mackey, John McGregor, David Higgins, Nathan Davis, Joseph Avaard, George Aitkin. («*The King* vs *Francis X. Galant*», Friday July 3: 1812, *Minutes of Court. 1811 to 1813. Crown Side,* PAPEI).
35. *The King* vs *Francis Xavier Galant.*

ROSE HILL FARM, LOT 16, EN 1880

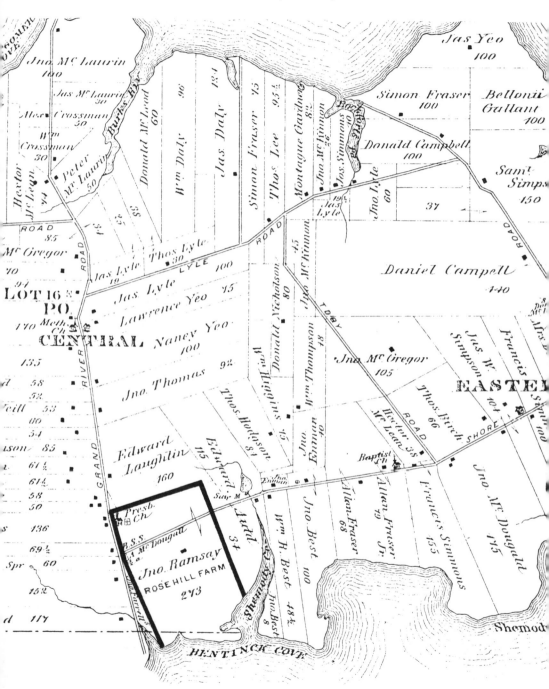

Source: *The Illustrated Historical Atlas of Prince Edward Island*, Philadelphia, 1880, p. 48.

défense appela les témoins suivants: Placide Arceneaux, William Clark, George Blood, Samuel Cameron (le plus proche voisin de Xavier), et L'Ange Galant, un autre fils du prisonnier[36]. Étant donné que plusieurs témoins ne savaient parler l'anglais, John Frederick Holland, membre du jury d'accusation, fut assermenté interprète[37].

La plupart des témoins étaient d'opinion que Xavier souffrait d'un déséquilibre mental. Son fils Fidèle déclara que les gens au village croyaient que la folie était responsable de l'acte meurtrier de son père[38]. Son frère, L'Ange, affirma qu'il avait perçu les premiers signes d'irrégularités dans la santé mentale de son père le jour d'un mardi gras, deux ans auparavant. Depuis lors ses parents avaient des querelles, ajouta-t-il[39].

Selon plusieurs témoins, Xavier aurait perdu la raison après qu'il eut obtenu une certaine somme d'argent d'un monsieur Marsh[40]. Voici ce que dévoila à ce sujet son fils, Fidèle:

> En autant qu'il [Fidèle] puisse se rappeler, plus d'un an s'est écoulé depuis que monsieur Marsh lui a donné l'argent — c'était la cause de son dérangement — quand il a commencé à perdre la tête — il ne travaillait plus — il a peu travaillé depuis l'automne dernier — il était laborieux avant cela — il a toujours été un homme aimable et bon envers sa famille, et ce, jusqu'à environ trois ans passés — ...[41]

---

36. *The King* vs *Francis Xavier Galant.*
37. *Ibid.*
38. *Ibid.*
39. *Ibid.*
40. Probablement Thomas Marsh du lot 17. Il était marchand, poursuivant des activités commerciales. Voir *LePage* vs *Marsh,* Feb. 4,1812. Supreme Court Papers, PAPEI, record group 6. Il tenait un magasin près de l'église de la Rivière-Platte. (Sœur Antoinette DesRoches, *Miscouche, I.P.E., 1817-1967,* p. 9.)
41. *The King* vs *Francis Xavier Galant.* Traduction de l'auteur.

Malheureusement, le rapport du procès ne divulgue pas la nature du marché par lequel Xavier aurait obtenu cet argent de M. Marsh. Aussi, le montant n'est pas précisé. Le témoin Daniel Campbell mentionne la somme de 380 dollars que Xavier disait posséder avant de faire un voyage à la Baie des Chaleurs. De retour, il disait n'en retrouver que deux cents[42].

Au sujet de l'état déséquilibré de Xavier, Prospère Poirier se dit d'accord que l'argent en fut la cause. À son avis, un dollar aurait suffi pour qu'il tue sa femme car lorsqu'il était pauvre, il était affectueux et bon envers elle. Il était également bon travaillant[43].

Il est évident, par la teneur des témoignages, que Xavier souffrait d'aliénation mentale. Il blâmait sa femme et ses enfants de voler son argent[44], se croyait ensorcelé par le chien domestique[45], pensait qu'on allait saisir sa maison[46], s'imaginait parfois que sa femme était l'épouse de son fils[47], etc.

Dans son témoignage, Fidèle Gallant fit connaître à la cour comment son père justifia son acte criminel :

> ... il [Xavier] a dit que la raison pour laquelle il l'a tuée, c'est qu'elle n'était pas suffisamment attentive aux affaires de la maison et qu'elle ne s'occupait pas de lui — il était obligé de faire sa propre cuisson — ...[48]

Vers 6 heures de l'après-midi, le jury se retira et délibéra pendant environ une heure et demie[49]. Le verdict en fut un de culpabilité mais les jurés recommandèrent la clémence de la cour[50].

---

42. *The King* vs *Francis Xavier Galant.*
43. *Ibid.*
44. *Ibid.* Témoignage de Fidèle Galant.
45. *Ibid.*
46. *Ibid.*
47. *Ibid.* Témoignage de L'Ange Galant.
48. *Ibid.* Témoignage de Fidèle Galant. Traduction de l'auteur.
49. *Weekly Recorder, loc. cit.*
50. *The King* vs *Francis Xavier Galant.*

Le jeudi suivant le procès (le 9 juillet), Xavier fut amené devant la cour pour y recevoir sa sentence. La peine de mort lui fut infligée. Mais son avocat, James Bardin Palmer, à la suite de la déclaration du châtiment, proposa que l'exécution soit différée. La cour décida de porter la discussion de cette motion au samedi suivant. Voici comment le procès-verbal de la cour résume cette séance:

> Le grand shérif, sur l'avis du greffier, ayant été ordonné d'amener le prisonnier en ce jour pour y recevoir sa sentence, présenta le prisonnier qui fut placé par-devant le tribunal. On lui demanda s'il y avait, selon lui, quelque raison pour laquelle le jugement de la loi ne devrait lui être imposé. Il répondit qu'il n'y en avait pas. Le juge-en-chef prononça alors un arrêt de mort sur le prisonnier qui fut envoyé en prison.
>
> Monsieur l'avocat de la défense proposa un sursis à l'exécution.
>
> La cour, après avoir entendu monsieur l'avocat, ordonna que le contenu de sa motion soit retenu jusqu'au samedi suivant[51].

Il se pose à l'endroit de la sentence de Xavier Gallant un problème intéressant que nous ne réussissons à expliquer. Le *Weekly Recorder,* journal de l'époque publié à Charlottetown, donnait dans sa livraison du 4 juillet 1812 un compte rendu des procédures judiciaires intentées contre Xavier Gallant. Il est surprenant de constater que cet hebdomadaire publie en ce 4 juillet, la sentence qui ne fut prononcée que le 9 du même mois. La sentence se lit comme suit dans le *Weekly Recorder:*

> Le juge-en-chef, après avoir fait des commentaires sur la fin tragique à laquelle le prisonnier s'était conduit, prononça la terrible sentence de la loi,

---

51. «*The King* vs *Francis X. Galant*», Thursday July 9: 1812, *Minutes of Court. 1811 to 1813. Crown Side.* Traduction de l'auteur.

qu'il soit amené dès lundi à la place de l'exécution pour y être pendu par le cou jusqu'à la mort, et par après, que son corps soit remis pour être anatomisé, et que Dieu ait pitié de son âme.[52]

Donc, selon le reportage du journal, Xavier devait être pendu le lundi 6 juillet alors que sa sentence ne fut véritablement prononcée que le jeudi suivant (le 9 juillet).

C. *Sa mort*

Le cas de Xavier Gallant n'est plus rapporté dans les procès-verbaux de la cour après le 9 juillet (1812). De toute évidence, il aurait été gracié, car un document important nous fait voir qu'en septembre 1813 il était toujours incarcéré dans la prison de Charlottetown.

Ce document date plus précisément du 21 septembre 1813. Il s'agit d'une pétition que livre Caleb Sentner, geôlier de la prison de Charlottetown, au lieutenant-gouverneur de l'Île, Charles Douglas Smith[53]. Par sa requête, le geôlier déplore l'état inhumain dans lequel sont retenus certains prisonniers, notamment Xavier Gallant.

Le cas de ce dernier est donné en détail. De dire Caleb Sentner, lorsque le meurtrier fut incarcéré en juin 1812, on lui ordonna de le nourrir et de pourvoir à ses autres besoins. On lui promit comme payement une somme de 15 shillings par semaine, cet argent provenant de la liquidation de la propriété du prisonnier qui fut confiée au coroner, Charles Serani. Le pétitionnaire poursuit sa requête en expliquant que depuis le mois de février il n'a reçu aucun sou. Il se dit dans l'impossibilité de continuer d'entretenir le prisonnier en raison de son trop maigre salaire et étant donné qu'il doit supporter une grande famille.

---

52. *Weekly Recorder, loc. cit.* Traduction de l'auteur.
53. «Petition of Caleb Sentner. Keeper of His Majesty's Gaol at Charlotte Town...»

Le geôlier donne une description renversante de l'état des prisonniers, accentuant le cas de Xavier Gallant:

> Et qu'il soit particulièrement permis à votre pétitionnaire de dire à Son Excellence l'état misérable des prisonniers retenus dans ce terrible endroit, épouvantable à la nature humaine et répugnant à tout sentiment: aucun lit et aucune literie ne sont fournis à l'exception de deux tapis ou couvertures qui furent envoyés dans un esprit de charité par l'ancien shérif, monsieur Semauel Cambridge. Votre pétitionnaire est dans la désagréable obligation de placer ses prisonniers dans leur quartier respectif où ils ne trouvent que le plancher nu pour se coucher, sans couvertures pour les protéger de l'effet du climat changeant auquel cette île est exposée, ce qui éventuellement conduit à la maladie ou à la mort. Xavier Gallant, précédemment mentionné, à tellement besoin à ce moment-ci de vêtements de rechange, que lui-même et sa cellule sont dans un tel état de saleté qu'il est impossible d'y vivre sans s'exposer à une condition de vie aussi pitoyable que la sienne...[54]

Dans sa présentation au lieutenant-gouverneur, Caleb Sentner dit avoir demandé maintes fois aux amis de Xavier de lui fournir du linge. Ceux-ci lui faisaient toujours savoir que M. Serani disposait de la propriété du prisonnier et qu'il fallait s'adresser à lui pour de l'aide. Quant à ses demandes auprès de monsieur Serani, qui depuis un certain temps n'occupait plus le poste de coroner, elles n'étaient pas plus réussies.

Le jour même de sa présentation, la pétition fut lue au Conseil de l'Île. Celui-ci ordonna alors à messieurs Sentner et Serani de se présenter à sa séance du lendemain matin. Il demanda à l'ancien coroner de produire à cette rencontre un rapport sur la disposition des biens de Xavier Gallant[55].

54. « Petition of Caleb Sentner... » Traduction de l'auteur.
55. *Prince Edward Island Council Minutes,* vol. 3, pp. 82-83, Sept. 21, 1813, M-561, APC.

En effet, le Conseil recevait le 22 septembre ces deux personnes qu'il avait convoquées. Monsieur Serani ne donna cependant qu'un compte rendu oral en ce qui avait trait aux biens de Xavier Gallant. Le Conseil le pria alors de bien vouloir en produire un rapport complet à une séance subséquente[56]. Il n'obéit pas tout de suite aux ordres du Conseil, car ce dernier réitérait sa demande à M. Serani le 19 octobre[57] et à nouveau le 6 novembre 1813[58].

Le 19 octobre (1813), le Conseil décida finalement de s'occuper du bien-être de Xavier Gallant. Le geôlier reçut la directive de laver convenablement le prisonnier en le baignant dans une infusion de tabac fort. Le Sherif, pour sa part, reçut l'ordre de le vêtir chaudement[59].

Mais quelques semaines plus tard Xavier devait mourir. Il s'éteignit à la prison de Charlottetown le 6 novembre 1813. Le jour même, en les murs de la prison, une enquête judiciaire par-devant jury fut menée par le coroner Fade Goff. Cette enquête détermina que Xavier Gallant «*died of the Visitation of God, and in a natural way ...*[60]».

Le jour même du décès de Xavier, le Conseil de l'Île tenait séance. Nous ne pouvons savoir si les membres du Conseil étaient au courant de sa mort, car nous ne savons pas si elle est survenue avant ou après la séance du Conseil. Quoi qu'il en soit, l'état de la prison fut l'objet d'une longue discussion.

En premier lieu, le greffier suppléant du Conseil fut mandaté pour approcher l'ancien coroner, M. Serani, et l'exhorter à fournir un rapport complet de la

---

56. *Prince Edward Island Council Minutes*, p. 84, Sept. 22, 1813.
57. *Ibid.*, p. 93, Oct. 19, 1813.
58. *Ibid.*, p. 97, Nov. 6, 1813.
59. *Ibid.*, p. 93, Oct. 19, 1813.
60. «An Inquisition indented taken at the Gaol of Charlotte Town... upon the view of the Body of Francis Xavier Gallant...», Nov. 6, 1813, Supreme Court Papers, PAPEI, record group 6.

disposition des biens de Xavier Gallant. Suivant cela, le geôlier se présenta devant le Conseil. De nouveau il fit connaître les besoins des prisonniers en nourriture et en literie. Le Conseil décida enfin de régler d'une façon définitive ce problème. On résolut que désormais les prisonniers incapables de se suffire à eux-mêmes recevront l'assistance du gouverneur sans aucun délai inutile[61].

La vie de Xavier Gallant se terminait donc dans la prison de Charlottetown, après y avoir été incarcéré pendant plus d'un an et trois mois, et ce, pour le meurtre de son épouse. Il mourut abandonné de tous et de toute évidence, victime du mauvais entretien des prisonniers.

3. Comparaison des variantes

L'étude comparée qui suit mettra en évidence les principales variantes se dégageant des vingt-six versions inventoriées. Toutefois, nous ne nous restreindrons pas à seulement signaler ces variantes. Nous ferons intervenir plutôt des documents qui sauront corroborer et éclairer la plupart des faits contenus dans le récit tragique de cette chanson.

Vers 1 à 4

Les deux premiers vers de la complainte se retrouvent dans huit versions. Ils invitent les gens à entendre une chanson composée sur un événement hors de l'ordinaire :

> Écoutez la complainte que je vas vous chanter
> D'une chose étrange qui vient d'arriver. (X)

Les troisième et quatrième vers sont connus de onze versions. Par contre, toutes ne donnent pas le même sens au troisième vers. Les deux versions pro-

---

61. *Prince Edward Island Council Minutes,* pp. 97-98.

venant de Port-Daniel en Gaspésie (V, W), et celle venant de la Côte Nord québécoise (X), soulignent que l'homme en question est acadien:

> C'est un homme bien traître quoiqu'un accadien [sic]
> De sa chère épouse il en a vu la fin. (X)

Quant aux huit autres versions toutes recueillies dans le Nouveau-Brunswick, le meurtrier y est qualifié de «païen»:

> C'était un homme qui était païen
> De sa pauvre épouse il en eut la fin. (S)

Cette expression est impressionnante. Elle nous incite à nous demander pourquoi l'auteur l'aurait employée. Il est possible, à notre avis, qu'il voulait mettre en évidence l'anormalité qui existait dans le comportement religieux du meurtrier. De dire Fidèle, fils de Xavier Gallant, son père assistait peu fréquemment aux services religieux, et ce depuis Pâques (1812)[62].

Vers 5 à 8

Les vers 5 et 6 sont particuliers aux versions Vigneau (X) et Maillet (M). Cependant, le sens de ces vers varie selon la version. Dans celle de Placide Vigneau, l'épouse du meurtrier se plaint de son sort:

> Ainsi un beau dimanche elle s'est lamentée
> Qu'il fallait mettre ordre à ses cruautées. [sic] (X)

alors que dans la version Maillet, le meurtrier lui-même dit qu'il veut mettre ordre à ses «cruautés»:

> C'est par un beau dimanche, oh! il s'a bien lamenté
> Qu'il voulait mettre ordre à toutes ses cruautés. (M)

Mais en se rapportant aux témoignages rendus au procès, la version Vigneau s'avère la plus exacte. Ainsi, Jean-Baptiste Gallant, cousin du meurtrier, déclara d'avoir ouï dire que la dernière fois que l'épouse de

---

62. *The King* vs *Francis Xavier Galant.*

Xavier était allée à l'église, elle avait dit craindre pour sa vie: «... [il] le tenait des paroissiens qu'elle avait affirmé, lors de sa dernière visite à l'église, qu'elle craignait pour sa vie et qu'elle n'y retournerait si on ne le mettait pas en lieu sûr[63]».

Les deux prochains vers (vers 7 et 8) sont communs à plusieurs versions et ils n'affichent pratiquement aucune variante. Ils se chantent généralement de la façon suivante:

> Il est toujours aux armes la nuit couche au grenier
> Armé d'une hache et d'un tisonnier. (X)

Victor Gallant, le plus jeune des fils de Xavier à témoigner au procès, déclara que son père couchait sur du blé dans le grenier[64]. Il n'est cependant pas dit qu'il se couchait armé. Par contre, George Blood déposa que le 31 mai (1812), il alla de l'église reconduire l'épouse de Xavier. Arrivé à destination, il fut accueilli par Xavier, tisonnier à la main, qui l'avertit de s'éloigner[65].

Vers 9 et 10

Les vers 9 et 10 sont connus de sept versions. Ici, l'épouse du meurtrier fait appel aux gens d'appréhender son mari:

> Je vous prie mes chers frères de venir l'arrêter
> Prenez part à mes peines car je crains le danger. (X)

Selon les témoignages recueillis au procès, il fut question à plusieurs reprises de renfermer Xavier, car on se rendait compte qu'il était devenu dangereux. George Blood, pour sa part, avertit les gens que si Xavier n'était pas enfermé, il tuerait quelqu'un. Il offrit même d'aider à l'appréhender[66]. De plus, la famille de

---

63. *The King* vs *Francis Xavier Galant.*
64. *Ibid.*
65. *Ibid.*
66. *Ibid.*

Xavier approcha le colonel Compton quelque temps avant que le meurtre ne fut commis pour savoir ce qu'ils devaient faire de lui. De dire le colonel, Xavier lui parut très normal lorsqu'il l'examina[67].

Vers 11 à 14

Ces quatre vers font partie de presque toutes les versions inventoriées. Nous y trouvons le point culminant du récit, soit le meurtre proprement dit. Il n'y a pas lieu pour l'auteur de décrire l'acte en détail. Au contraire, il est seulement mentionné:

> Ma femme, j'ai grand' envie de aller dans le bois,
> En ma compagnie, venez avecque moi.
> Il l'a pris et il l'a-t-emmenée au pied d'un haricot
> Il était si infâme qu'il l'a mis' au tombeau. (H)

Quelques variantes intéressantes se présentent à travers ces vers. Dans quelques textes, Xavier ne demande pas à sa femme d'aller dans le bois, mais plutôt d'aller en haut de son champ[68]. Et le meurtrier est tantôt qualifié d'infâme[69], de cruel[70], de méchant (B) et de criminel (Y).

Le meurtre fut commis «près d'un haricot», «sous un faît' d'haricot», ou encore «au pied d'un haricot» précisent différentes versions. Le mot «haricot» est un acadianisme qui désigne le tsuga du Canada, soit la «pruche» des Québécois[71].

Selon l'enquête du coroner sur le corps de la morte, le meurtre fut commis entre 4 heures et 11 heures de l'avant-midi[72]. Ce rapport, comme il se doit, fut rédigé avec minutie. Ainsi nous apprenons dans le

---

67. *The King* vs *Francis Xavier Galant.*
68. Versions I, K, O, P, Q, S, T.
69. Versions D, H, L, M, P.
70. Versions I, J, K, O, Q, S, T.
71. Geneviève Massignon, *Les Parlers français d'Acadie. Enquête linguistique,* Paris, Klincksieck, 1962, t. I, p. 173.
72. «Inquisition taken by Coroner on the Body of Magdelene Galant...».

détail comment Xavier exécuta son crime. L'extrait suivant renferme les faits saillants:

> ... le susdit Francis Xavier Galant, avec un certain couteau communément appelé un «Jack Knife», fait de fer et d'acier, d'une valeur de vingt pence, lequel il, le dit Francis Xavier Galant, tint dans sa main droite, a frappé la susdite Magdalene Galant lui infligeant sur la gorge, avec le couteau ci-dessus mentionné, une blessure mortelle d'une largeur de deux pouces et demi, et a coupé la gorge de la dite Magdalene Galant de la trachée-artère à l'os du cou, de laquelle blessure la susdite Magdalene Galant est morte instantanément. Le dit Francis Xavier Galant a donc sur-le-champ tué de façon délictueuse et a assassiné la dite Magdalene Galant, contre la paix de Notre Roi, sa Couronne et sa dignité.[73]

Vers 15 à 18

Xavier retourna à la maison après qu'il eut tué sa femme. Il ne dévoila pas son meurtre aux enfants mais leur fit croire que leur mère était perdue[74]. Les quinzième et seizième vers font état de ce retour à la maison:

> Après tout son carnage il s'en va-t-à la maison
> En faisait plus mine de tout son carillon. (M)

L'expression «carillon» semble vouloir ici exprimer l'idée de «massacre» quoique nous ne lui connaissons pas cette définition. Nous devons néanmoins noter que l'Acadien emploie ce terme dans le sens de vacarme[75].

Ces vers sont rendus d'une façon plus compréhensible dans trois versions (W, X, Y) où le substantif «trahison» remplace le mot «carillon»:

---

73. «Inquisition taken by Coroner on the Body of Magdalene Galant...». Traduction de l'auteur.
74. *The King* vs *Francis Xavier Galant*. Témoignage de Fidèle Galant.
75. Poirier, *Glossaire acadien*, p. 118.

> Après ce grand carnage, retourne à sa maison
> Ne faisant pas mine de sa trahison. (X)

La chanson folkorique *Alexandre,* qui met aussi en scène un meurtrier, contient deux vers étonnamment semblables à ceux que nous venons de citer. Ce qui surprend davantage c'est que les expressions «carillon» et «trahison» se remplacent l'une pour l'autre de version en version, tout comme nous l'avons observé dans *Le meurtrier de sa femme.* Des extraits de deux versions d'*Alexandre* illustreront ce fait:

> Je m'en retourne à la maison
> Sans faire mine de mon carillon.[76]

> Je m'en allai à la maison
> Le cœur contri de ma trahison.[77]

Si nous nous en tenons au rapport du procès pour connaître le déroulement de la tragédie, nous nous apercevons que les dix-septième et dix-huitième vers ne sont pas tout à fait conformes à la vérité. Ces deux vers renferment les renseignements suivants:

> Puis il dit ensuite à ses petits enfants
> Je vas prendre la fuite voilà mon argent. (X)

Xavier ne prit pas la fuite aussitôt le meurtre commis contrairement à ce que semble vouloir dire ces vers. Victor, son fils d'environ treize ans, déclara pendant le procès qu'il alla à la recherche de sa mère avec son père le jour même du meurtre ainsi que le lendemain. Cependant, il dit ne pas être certain d'avoir vu son père pendant la journée du samedi[78], jour où il prit probablement la fuite.

Quant à l'argent qu'il donna à ses enfants, il leur en aurait fait part la veille du meurtre, et ce, toujours selon le témoignage de son fils:

---

76. CEA, coll. père Anselme Chiasson, enreg. 400. Chanson recueillie d'Allan Kelly, Beaverbrook, N.-B., le 18 septembre 1959.
77. AF. coll. J.-T. LeBlanc, ms. 850. Textte fourni par Madame Étienne Arsenault, Waltham, Massachusetts, É.-U.
78. *The King* vs *Francis Xavier Galant.*

... la veille du meurtre (le mercredi 10 juin), son père l'avait envoyé chercher l'argent dans le grenier, lui disant que cette somme de £41, 10 S. était destinée à ses enfants...[79]

Remarquons enfin que les vers 15 à 18 sont connus de la plupart des versions.

Vers 19 à 22

Le samedi, les enfants n'ayant pas encore trouvé leur mère, eurent recours aux gens du village. Une expédition de secours fut aussitôt mise en branle[80].

Ces informations sont contenues dans les vers 19 à 22. Néanmoins, toutes les versions ne s'entendent pas à leur donner une seule et même interprétation. D'une part, plusieurs versions mettent l'accent sur la poursuite du criminel comme le fait la version de Placide Vigneau :

Ses enfants tout en larmes se sont dépêchés
D'aller au village pour le faire arrêter.
On s'empresse au plus vite d'aller l'arrêter
Le démon qui le porte a bien su le cacher. (X)

D'autre part, quelques versions soulignent surtout la recherche de la disparue :

Les enfants toutes en pleurs s'en vont au village
C'est pour chercher leur mère qu'est dans ces bois
perdue
Le monde aussi s'empresse d'aller la chercher
Le démon qui l'entraîne qui la tenait cachée. (Q)

Le vingt-deuxième vers est formulé autrement dans trois versions (D,M,N). Selon celles-ci, on cher-. cha en vain Madeleine Gallant jusqu'au soir : «l'avont charché jusqu'au soir, ils avont pas pu la trouver» (D).

En effet, la recherche se poursuivit sans succès pendant toute la journée du samedi. Voilà ce que

79. *The King* vs *Francis Xavier Galant*. Traduction de l'auteur.
80. *Ibid.* Témoignages de John Baptist Galant et Prospère Poirier.

fit connaître Prospère Poirier à ses interrogateurs au cours du procès : « le samedi, on le fit venir pour rechercher la femme — il avait entendu dire qu'elle était perdue. Plusieurs personnes ayant prêté concours, on avait cherché tout au long de la journée sans rien trouver...[81] »

Vers 23 à 26

Les vers 23 à 26 ne se retrouvent que dans quelques versions. En effet, les vers 23 et 24 ne figurent que dans six versions (D,J,M,N,R,X) et les deux autres que dans deux (H,X). Remarquons que seulement la version Vigneau (X) contient les quatre vers du couplet.

Comme le signale plusieurs versions dans les vers précédents, le meurtrier se tenait caché. On dit même qu'il était entraîné par le démon : « Le démon qui l'entraîne qui le tenait caché » (I). Pour s'assurer l'aide du ciel dans la recherche, des messes furent promises au Saint-Esprit. C'est ce que révèlent les vers 23 et 24 :

Après plusieurs grandes messes promises au
[Saint Esprit
On voit le coupable revenu à demi. (X)

Le vingt-quatrième vers n'est pas explicite. D'ailleurs il est formulé différemment dans les autres versions : « l' ont vu le coupable, l'ont vu venir du bord » (M), « Qui fit venir le coupable qui en est revenu » (N), « On voit v'nir le coupable, ah ! qu'il revient ici » (R) ou encore « Ils ont vu le coupable qu'il revenait dans lui » (D).

Le dimanche matin, les gens reprenaient la recherche qu'ils avaient suspendue la veille. Vers 9 heures, ils l'interrompaient à nouveau et chacun rentrait chez-soi pour le déjeuner. En revenant à la maison, quelques-uns aperçurent Xavier. Puis Prospère Poirier envoya Jean-Baptiste Gallant l'arrêter[82].

---

81. *The King* vs *Francis Xavier Galant*. Témoignages de John Baptist Galant et de Prospère Poirier.
82. *Ibid.*

Les vers 25 et 26 englobent une partie de ces renseignements. La version de madame Dominique Sonier de Sheila est étonnamment exacte au sujet de l'heure à laquelle Xavier fut aperçu ce dimanche matin :

> L'lendemain à 10 heures, voient venir le méchant,
> Ah ! qu'il pleurait et il meurt d'ennui. (M)

Le texte de Placide Vigneau (X) compte aussi ces deux vers mais dans ces derniers le meurtrier aurait été vu à 5 heures. Et pour appuyer le contenu du vingt-sixième vers, le témoin George Blood dit que Xavier pleurait mais qu'il était calme quand il fut arrêté[83].

Vers 27 à 30

Les vers 27 et 28 figurent seulement dans quelques rares versions et ils se présentent dans deux styles différents. La version Vigneau les donne dans un style indirect :

> On le prie, on l'exhorte de vouloir montrer
> Le corps de la morte qu'il a enterré. (X)

Pour ce qui est de la version de Madame Édouard Noël, ces vers sont présentés dans un style direct :

> Oh ! viens donc montrer où que tu l'as mi'
> Où que tu l'as mis où que tu l'as tué'. (G)

Enfin, une troisième version (E) contient le vers 27, donné lui aussi dans le style direct.

Comme le suggère la version Vigneau, Xavier n'accepta pas sur-le-champ de conduire ceux qui l'avaient capturé à l'endroit où il tenait sa victime cachée. Prospère Poirier déclara avoir demandé à Xavier d'aller lui montrer où elle était, mais que celui-ci lui répondit qu'il préférait mourir que de faire ainsi. Mais finalement Xavier consentit et il les dirigea au-devant du cadavre de son épouse[84].

---

83. *The King* vs *Francis Xavier Galant.*
84. *Ibid.*

Les vers 29 et 30, communs à sept versions (D,H, J,M,N,S,X), livrent ce dernier détail :

> Il fut près de la place où il l'avait mis
> Et sans apparence il fut démenti. [*sic*] (X)

Le trentième vers s'avère difficile à interpréter. Chacune des sept versions le formule différemment et toujours d'une façon ambiguë.

Vers 31 à 34

Ces quatre vers sont relativement bien connus. Les vers 31 et 32 se retrouvent dans treize versions alors que les trente-troisième et trente-quatrième figurent dans neuf versions. Voici ce couplet tel que l'a chanté Benoni Benoît en 1958 au folkloriste Roger Matton :

> À force de dispute i' a fallu s'approcher
> Mais le bord de sa jupe en était pas caché.
> (Z) al' était là bien morte et toute ensanglantée,
> Le visage par terre et la bouche amarrée. (I)

Une variante importante se dégage dans le premier vers de cette strophe. En effet, trois versions disent que les chercheurs et Xavier se sont avancés près du corps «sans aucune dispute», tandis que les six autres versions avancent le contraire. Il est bien possible qu'il y eut dispute avant même que Xavier se décida d'indiquer l'endroit où le cadavre était caché. Quoi qu'il en fut, le rapport du procès ne dit rien à ce sujet. Peut-être fait-on allusion à la discussion mentionnée ci-dessus où Xavier affirma qu'il préférait mourir que d'aller montrer où était sa femme.

D'après la complainte, lorsque les chercheurs approchèrent le lieu du meurtre, seulement le «bord» de la jupe de la morte était visible. Le témoin Prospère Poirier décrivit, lors de sa déposition, comment le corps avait été caché avec «adresse et précaution» : «... elle était étendue face par terre, la tête penchée vers le bas de la colline — lorsqu'elle fut trouvée, on

ne pouvait distinguer son visage ensanglanté (bien qu'on ne trouvât aucune trace de sang près d'elle)...[85]».
Ce témoignage confirme donc en partie le contenu des vers 33 et 34.

Vers 35 à 38

Les vers 35 à 38 n'ajoutent aucun fait nouveau au récit. L'auteur se réserve ce quatrain pour demander au meurtrier comment il fit pour tuer sa femme. En plus, il donne son avis quant au châtiment que mériterait le criminel:

> Dis-moi, cœur sans pitié, cœur plus dur que pierre,
> Comment as-tu pu faire pour l'avoir tuée?
> Tu mérites que la terre sous tes pieds s'ouvrit
> Et méchant pour ton crime qu'a' t'engloutissit. (M)

Ces vers se trouvent en entier ou en partie dans treize versions. Ils présentent cependant peu de variantes. Notons seulement qu'au trente-cinquième vers, le mot «pierre» est quelques fois remplacé par l'expression «fer».

Vers 39 à 42

Le cadavre trouvé, il fut emporté à la maison. Là, Xavier avoua sa culpabilité. Daniel Campbell, témoin de cette déclaration, en fit la relation devant la cour:

> Le dimanche, il était à la maison du prisonnier à partir de 12 heures — le cadavre était dans une partie de la maison, le prisonnier dans l'autre — il y avait douze personnes qui faisaient cercle autour du corps; le prisonnier y fut amené et on lui demanda si c'était lui qui l'avait tuée — il répondit que c'était bien lui et se jeta à genoux — il pleura sur elle et lui baisa les pieds — on lui demanda s'il avait agi en pleine connaissance de cause — il répondit en disant oui —...[86]

85. *The King* vs *Francis Xavier Galant.*
86. *Ibid.* Traduction de l'auteur.

152

Les vers 39 et 40, connus de six versions, font état de cet épisode. Ces deux vers dans la version Vigneau (X) et Leblanc (Y) sont semblables, et les faits qu'ils véhiculent se rapprochent de beaucoup du contenu du témoignage cité ci-dessus. Voici ce que révèle la version de Placide Vigneau :

On a mis sur des planches, hélas ce pauvre corps
Pour faire voir au coupable l'horreur de son tort. (X)

La version d'Avila Leblanc, variant un peu, termine le vers 36 par : « l'horreur de la mort » (Y).

À l'endroit de ces vers, les versions recueillies au Nouveau-Brunswick diffèrent des deux versions mentionnées. Celles-ci (versions H,I,J,O) prétendent que le corps de la morte fut amené à la maison pour faire la leçon aux enfants :

Il' ont pris le cadavre, l'emportent à la maison
C'est pour servir d'exemple à ses petits enfants. (I)

Cet énoncé nous paraît inconcevable et nous voulons croire qu'il s'agit là d'un apport au texte plus ou moins récent.

Les deux prochains vers (vers 41 et 42) sont propres à quelques versions du Nord-est du Nouveau-Brunswick. Ils mettent encore en scène les enfants du meurtrier :

Ces enfants tout en larmes n'osirent point l'appro-
[cher
En disant quel malheur qui nous est arrivé ! (I)

Quant à la version de Madame Joseph Richard de Tignish, elle contient les vers 39 et 41 :

« Al' est là su' les planches, al' est toute ensanglée
Ses pauvres petits enfants voulont pas la r'garder. (D)

Vers 43 à 46

La version de Joseph-E. Maillet est la seule qui contient les vers 43 et 44. Il y est question d'un interrogatoire qu'aurait subi Xavier :

Il' ont pris le criminel, oh! ils l'avont emmené
Su' le courounel, c'est pour l'interroger. (M)

De toute évidence, le «courounel»[87] impliqué serait le colonel Harry Compton, propriétaire du lot 17[88] qui fut un des témoins à comparaître lors du procès. Son témoignage va toutefois à l'encontre de ce qui est énoncé dans les vers 43 et 44. Ainsi, le colonel Compton ne mentionna pas le fait que le meurtrier fut emmené auprès de lui pour un interrogatoire. D'après sa déclaration, Xavier «*was brought before Mr. Green who took his Confession*[89]».

Quant aux vers 45 et 46, ils n'ont été conservés que dans les versions Maillet (M) et Vigneau (X). La version Vigneau s'avère la plus intelligible:

Puis on voulut l'instruire sur l'affaire du salut
On ne put lui faire dire qu'il était confondu. (X)

La version Maillet, de son côté, contredit la version Vigneau au vers 46, affirmant qu'on réussit à faire dire au meurtrier qu'il était confus: «Il' ont su 'i faire dire qu'il en était confus» (M).

Le rapport du procès confirme la version de Placide Vigneau. De fait, selon le témoin Daniel Campbell, que nous avons déjà cité, Xavier avoua avoir consciemment commis le meurtre: « — on lui demanda s'il avait agi en pleine connaissance de cause — il répondit en disant oui —» ...[90]

Vers 47 et 48

Seule la version Vigneau compte les vers 47 et 48. Ces derniers font mention de l'emprisonnement de Xavier:

---

87. Le substantif «courounel» est une ancienne forme du mot «colonel». Voir Pascal Poirier, *Glossaire acadien*, p. 150.
88. Pour des renseignements sur ce monsieur Compton, voir pp. 102 à 104.
89. *The King* vs *Francis Xavier Galant*.
90. *Ibid.* Traduction de l'auteur.

Ils ont pris le criminel et l'ont enchaîné
Puis dans la prison ils l'ont enfermé. (X)

Comme nous l'avons déjà exposé, Xavier fut incarcéré dans la prison de Charlottetown. Il comparut en justice le 30 juin (1812) où il plaida non-coupable. Il subit son procès le 3 juillet suivant.

Vers 49 à 52

Nous savons que quatre semaines après le meurtre, soit le 9 juillet[91], Xavier fut condamné à être pendu. Ces renseignements sont donnés dans les vers 49 et 50:

Au bout de quelques semaines la nouvelle a été sue
Que le beau criminel allait être pendu. (S)

Ces vers ont seulement été conservés dans six versions, provenant toutes du Nord-est du Nouveau-Brunswick. Trois de ces versions (G,K,Q) précisent que la nouvelle leur fut rapportée après six semaines, alors que les versions de Gilbert Vienneau (S,T) disent que ce fut « au bout de quelques semaines ». La version Benoît (I) prolonge considérablement le laps de temps en cause. De fait, il est question de « quelques années » dans cette version.

Nous savons cependant que la vie de Xavier Gallant ne se termina pas sur l'échafaud. À la place, il fut gardé en prison où il réussit à survivre pendant plus de seize mois malgré les conditions inhumaines dans lesquelles il fut retenu. Le fait qu'il dut être lavé dans une infusion de tabac fort pour être nettoyé[92], et ce, quelques semaines avant sa mort, est une preuve suffisante que Xavier mourut infecté de maladies contractées au cours d'un séjour dans une prison fortement insalubre.

Quatre versions de la complainte font état de la condition malsaine du détenu. Ce détail, inclus dans

91. Voir p. 138.
92. Voir p. 141.

les versions I, N, R et X, est des plus saisissants. Voici ce qu'en dit la version du chanteur Benoni Benoît de Sheila:

> Il a 'té assez longtemps dans les cruelles prisons
> Que les vers et les pous l'avont mangé aux (z)ous. (I)

La version de Placide Vigneau, quoique un peu différente, expose les mêmes faits:

> Et peu de temps ensuite les poux l'ont mangé
> Les épaules et les cuisses jusqu'à la plante des
> [pieds (X)

Une variante remarquable, commune à cinq versions (K,O,Q,S,T), apparaît au cinquante-deuxième vers. Ici, Xavier meurt à petit feu de faim et de soif:

> l' a 'té si longtemps dans ce triste prison
> Que la faim et la soif le fait mourir lentement. (O)

Dans sa pétition au gouverneur Smith, le geôlier ne dit pas en toutes lettres que le prisonnier Xavier Gallant était peu alimenté. Néanmoins, le ton de sa requête nous le suggère. Il écrit:

> Qu'en conséquence du maigre salaire que le gouvernement paie à votre pétitionnaire dans son poste de geôlier, et se trouvant dans l'impossibilité, de par le soin attentif qu'il porte à l'entretien de l'endroit, de se livrer à autre travail rémunérateur, et ayant une très grande famille à faire vivre, la situation de votre pétitionnaire est rendue vraiment déplorable et angoissante; et si la bonté et l'humanité de Son Excellence n'interviennent pas pour soulager votre pétitionnaire, il se verra dans l'impossibilité de continuer à pourvoir à l'entretien de Xavier Gallant —...[93]

L'informatrice Éva Sonier de Bas-Néguac a appris cette complainte de ses parents. Elle la termine par «Que la faim et la soif le fait mourir longuement»

---

93. «Petition of Caleb Sentner. Keeper of His Majesty's Gaol at Charlotte Town...» Traduction de l'auteur.

(Q), mais elle ajouta par la suite qu'elle connaît également l'autre variante que son père chantait comme suit: «Que les vers et les poux l'avaient rongé jusqu'aux ous». Elle avoua toutefois qu'elle préfère la première finale, car elle est à son avis moins repoussante[94].

Dans l'ensemble de la complainte, les vers 49 à 52 sont incontestablement ceux qui présentent les variantes les plus marquées. Signalons ici deux versions où le quatrain se distingue presque en entier des autres versions. Notons d'abord celle de Madame Henri Boucher:

> Dans la prison il meurt pour ses cruautés
> Jusqu'à l'heure où il devait expirer.
> Il est rongé de vers, il est rongé de poux
> Les épaules et le dos, on voyait tous les os. (N)

L'autre version, plutôt marginale, fut recueillie auprès d'une nonagénaire de Bas-Néguac, Madame Ferdinand Basque. Les nouveaux éléments qu'elle apporte sont certes attirants, surtout ceux des deux premiers vers:

> Son procès fut jugé d'avoir les poings coupés
> Et la tête tranchée, le mettre dans les cachots.
> Mais pour ta pénitence, dans les cachots les plus noirs
> (Y) où que les vers et les poux te mangeront jusqu'aux ous. (R)

Il y a cependant une analogie à souligner entre ces vers et un couplet d'une version de la chanson *Le capitaine tué par le déserteur* telle que recueillie à Pubnico-Ouest en Nouvelle-Écosse:

> On m'prend, on m'y mène
> Derrière la citadelle.
> Mon procès fut jugé
> D'avoir le poing coupé,
> Et la tête écrasée
> Pour avoir déserté. [95]

---

94. Notes d'enquêtes de Robert Bouthillier et Vivian Labrie.
95. CCECT, coll. Helen Creighton, MN-5987.

Vers 53 et 54

Les deux vers qui terminent cette chanson sont exclusifs à la version d'Avila LeBlanc des îles de la Madeleine. Ils constituent en quelque sorte un enseignement :

> Chrétiens, pour vous instruire de jamais tuer
> Vos chères épouses lorsque vous en aurez. (P)

En terminant l'étude comparée de cette complainte, disons qu'elle nous a permis de constater deux phénomènes en particulier. D'abord, il est remarquable comment la tradition orale a pu conserver aussi fidèlement, à travers plus d'un siècle et demi, certains faits de ce drame. Et dans le sens opposé, il est autant frappant de voir comment les variantes se sont produites en aussi grand nombre pour parfois même déformer l'authenticité des faits.

4. La légende

La complainte ayant trait au meurtre commis par Xavier Gallant n'a pas été bien conservée par les Acadiens de l'Île-du-Prince-Édouard. Comme nous l'avons déjà souligné, seulement quelques versions fragmentaires ont pu être recueillies chez ces derniers. En revanche, l'histoire de ce drame survit en tant que légende chez plusieurs insulaires. Notons ici que la plupart des informateurs à nous raconter des faits sur ce meurtre savaient que le meurtrier était l'ancêtre de telle ou telle personne. Quelques-uns ont même pu nous dire son nom.

Il est évident que la complainte a joué un certain rôle dans la transmission orale de l'histoire du meurtre. Cela nous est suggéré par le fait que trois informateurs nous ont soit chanté, soit récité des bribes de la complainte à l'intérieur de leur récit[96]. Par contre, un

---

96. Coll. Georges Arsenault, enreg. 803. Inf. : Madame William Des-Roches (née Obéline Aucoin), 101 ans, Miscouche, le 18 juillet

grand nombre d'éléments contenus dans ces récits sont supplémentaires à ceux que l'on trouve dans la chanson.

A. *L'aliéné*

La tradition orale attribue le meurtre à la démence. Magloire Gallant, qui compte Xavier dans sa ligne ancestrale, dit qu'il était «hors de sa tête» lorsqu'il commit le crime[97]. Ben DesRoches de Miscouche ne dit pas autrement: «... il a venu dérangé de sa tête», nous renseigna-t-il[98].

Quant à Madame Emmanuel Gaudet de Harper Road, Xavier tua sa femme pour pouvoir se marier à une autre. C'est ce que lui racontait sa mère qui connaissait la complainte[99].

Selon quelques informateurs, le motif du crime serait associé à un trésor que possédait le meurtrier. Au dire de Obéline DesRoches, une informatrice de Miscouche âgée de 101 ans en 1974, Xavier était «un vieux qui était à bord des bâtiments pirates puis ils voliont, ces bâtiments voliont de l'argent puis *I guess* qu'il leur avait volé leur argent. Puis il s'a caché, il avait venu se cacher dans l'Île[100]».

Ben DesRoches, fils de cette centenaire, nous relate lui aussi sa version de l'histoire de Xavier Gallant qu'il entendit «des vieux» lorsqu'il était enfant. Xavier, raconta-t-il, «c'était un vieux, un marin. Il voyageait sur l'eau et de quelques manières il a obtenu

---

1974; enreg. 1205. Inf.: Madame Antoine Arsenault (née Hélène Bernard), 85 ans, Saint-Gilbert, le 4 septembre 1975; enreg. 1101. Inf.: Sosime Bernard, 71 ans, Saint-Édouard, le 8 novembre 1976 et ms. 174 recueilli le 7 août 1975.

97. Coll. Georges Arsenault, ms. non classé.
98. Coll. Georges Arsenault, enreg. 1208. Inf.: Ben DesRoches, 71 ans, Miscouche, le 31 décembre 1975.
99. Coll. Georges Arsenault, enreg. 1152. Inf.: Madame Emmanuel Gaudet (née Marie-Blanche Poirier), 77 ans, le 10 novembre 1976.
100. Coll. Georges Arsenault, enreg. 803.

159

quoi ce que ses voisins, puis le monde qui le connaissait, disaient un trésor[101] ». Ben DesRoches et sa mère s'entendent pour dire que Xavier enterrait et déterrait souvent sa fortune car il croyait que sa femme voyait où il la cachait. D'ajouter Ben DesRoches, Xavier serait devenu «manière de jaloux de sa femme» et «il a venu dérangé de sa tête et pis il a tué sa femme.» Le trésor, précisa Ben DesRoches, comprenait des louis d'or.

Une autre version, celle-ci recueillie à Abram-Village, raconte à peu près les mêmes faits:

> Un homme qui avait de l'argent se sauvait tous les jours. Sa femme ne savait pas où il allait. Un jour sa femme l'a suivi. Elle le suivit à la cave. Là, dans un vieux chausson, était caché son argent. Il s'est trouvé très surpris de voir sa femme derrière lui mais il n'a pas dit un mot. Après souper il dit à sa femme: «Allons prendre une marche au bois.» Les bûcherons de ce temps laissaient leurs haches au bois. Il prit sa hache et la tua ...[102]

Ces faits à caractère légendaire contiennent une certaine part de vérité. En effet, nous avons déjà discuté de l'argent qu'obtint Xavier d'un certain monsieur Marsh[103]. Au cours du procès il fut souvent question de cet argent. Daniel Campbell mentionna une somme de 380 dollars[104]. Les enfants du meurtrier à témoigner au procès, avancèrent que leur père accusait parfois des membres de la famille d'avoir pris son argent qu'il tenait caché: «... son père se fâchait souvent contre la mère à ce propos [l'argent]; il disait que quelqu'un de la famille l'avait pris[105] ».

Quant à savoir si Xavier était réellement un marin, nous n'avons aucun document pour appuyer cela. Tout

---

101. Coll. Georges Arsenault, enreg. 1208.
102. CEA, coll. Alodie Gallant, ms. 2. Inf.: Madame Marie-Hélène Arsenault, 51 ans, Abram-Village, le 13 novembre 1975.
103. Voir pp. 136, 137, 147 et 148.
104. *The King* vs *Francis Xavier Galant*.
105. *Ibid.* Témoignage de Victor Galant. Traduction de l'auteur.

au plus savons-nous qu'il se rendit à la Baie des Chaleurs à l'été de 1811 à bord du vaisseau d'un dénommé William Clark. Ce dernier, qui avait confié le gouvernail à Xavier, témoigna qu'un soir pendant le voyage il vint sur le pont et s'aperçut que Xavier avait changé inutilement la direction du bateau. Monsieur Clark voulut lui faire voir son erreur mais Xavier s'obstina et répondit que le compas pouvait être défectueux mais que lui ne se trompait pas[106]. Ce témoignage nous laisse croire que Xavier n'était pas novice au métier de navigateur.

Le récit de Madame DesRoches ajoute aussi que l'épouse de Xavier craignait pour sa vie : «Elle avertissait ses parents, elle dit : Il a venu aiguiser un couteau puis il me *watch* partout où que je vas...[107]»

Selon quelques informateurs, Xavier amena sa victime au bois en se servant du prétexte qu'il désirait son aide pour couper des branches pour faire un balai :

> Vous savez, dans ce temps-là le monde était pauvre, ils achetiont point de balais ; ils cassiont des branches dans le bois puis ils amarriont les branches puis ils ballissiont avec ça.
> Il avait emmené sa femme, cet homme-là — il était manière d'innocent — il avait emmené sa femme dans le bois puis il lui avait dit : «Viens avec moi casser un balai.» Ça fait qu'ils avont été dans le bois puis il lui a coupé la gorge, puis il l'a laissé là.[108]

La tradition orale rapporte quelques fois que l'assassinat fut commis à l'aide d'une hache. Un informateur d'Urbainville précisa que le meurtrier «a porté la hache puis il lui a fendu la tête dans le bois[109]». Tou-

---

106. *The King* vs *Francis Xavier Galant*.
107. Coll. Georges Arsenault, enreg. 803.
108. AF, coll. Antonine Maillet, enreg. 171, Inf. : Madame Gallant, 97 ans, le 25 juin 1966, Mont-Carmel.
109. Coll. Georges Arsenault, enreg. 1218. Inf. : Augustin J. Arsenault, 87 ans, Urbainville, le 3 janvier 1976.

tefois, nous savons par le rapport de l'enquête du coroner que l'instrument qui servit au meurtrier était un couteau et que la victime en fut atteinte à la gorge et à la poitrine[110].

Le fait que Xavier cacha le cadavre de sa victime est bien connu de la tradition orale. Madame Hélène Arsenault nous raconta que Xavier l'avait caché « au pied d'un arbre puis il l'avait toute couverte avec des feuilles, toutes des feuilles d'arbres[111] ». Une autre informatrice nous précisa que l'assassin l'avait « embourrée dans les branches[112] ».

B. *La recherche du meurtrier*

Nous savons que deux jours après le meurtre, les gens du village ont porté leur concours à la recherche de la disparue et de son prétendu meurtrier[113]. Voici cet épisode tel que Ben DesRoches l'a retenu des anciens :

> Maintenant, après un élan, le monde s'a aperçu qu'elle avait disparu. Ils avont cherché dans les bois puis ils l'avont trouvée. Quand qu'ils avont trouvé sa femme, ils ont cherché pour lui. Lui s'a échappé dans les bois ; il a été se cacher.
>
> Puis ils le voyaient à une place — maintenant c'était pareil comme un revenant — ils le voyaient à une place puis quand qu'ils allaient là, il avait disparu. Puis ils allaient voir, ils le voyaient à une autre place, le lendemain ils allaient là pour chercher, quelqu'un le voyait, ils allaient le chercher, il avait disparu.
>
> Ça fait ils avont été au prêtre puis ils ont fait dire une messe pour le trouver parce qu'ils avont...

---

110. « Inquisition taken by Coroner on the Body of Magdalene Galant... » Voir pp. 145 et 146.
111. Coll. Georges Arsenault, enreg. 1205.
112. *Ibid.*, ms. non classé. Inf. : Madame Glorice Cormier (née Julitte Bernard), 75 ans, Wellington, le 26 avril 1976.
113. *The King* vs *Francis Xavier Galant.* Témoignages de John Baptist Galant et Prospère Poirier.

tout le monde avait peur. Il y avait pas trop de monde dans ce temps-là, ici, dans la Miscouche. Et puis ils avont été dans le bois, le lendemain, et puis ils l'avont trouvé, ils l'ont pris[114].

Nous remarquons dans ce récit que le cadavre fut trouvé avant le meurtrier appréhendé. En réalité, Xavier alla montrer lui-même l'endroit où reposait le cadavre de sa femme[115].

Un autre informateur à nous parler de ce meurtre, fut Sosime Bernard de Saint-Édouard. Les nouveaux éléments qu'il apporte au récit de ce drame sont des plus captivants. Sosime Bernard nous raconta qu'il avait ouï-dire que celui qui avait tué sa femme était un ensorcelé qui pouvait se transformer en animal. Le cadavre de sa femme fut trouvé sous un «haricot» tombé et sur lequel se promenait un coq. Au dire des gens, ce coq était le meurtrier métamorphosé[116]!

Nous pouvons comparer ces faits récemment recueillis à ce qu'écrivait en 1899 Hubert G. Compton à propos de ce meurtre:

> Le corps de la femme fut trouvé par une expédition de secours — dont un des membres était le père de l'auteur — sous un arbre abattu vers lequel ils furent attirés par la voix du mari détraqué qui, à ce moment-là, déambulait sur l'arbre couché.[117]

Il est frappant de constater comment ces deux versions se ressemblent. Si ce n'était la métamorphose du meurtrier en un coq, les deux versions seraient presque identiques.

Bien que les faits rapportés par Sosime Bernard sont évidemment revêtus de traits fortement légendaires, ils ne sont pas par le fait même négligeables. Au contraire, ils ont une certaine importance lorsqu'on

114. Coll. Georges Arsenault, enreg. 1208.
115. Voir p. 150.
116. Coll. Georges Arsenault, ms. non classé et enreg. 1101.
117. «The First Settlers of St. Eleanor's», p. 169. Traduction de l'auteur.

considère qu'il fut question de sorcellerie à quelques reprises pendant le procès. En effet, Victor, fils de Xavier, dévoila que son père parlait souvent de sorcellerie. On apprend même que Xavier était convaincu que le chien domestique l'avait ensorcelé et il voulait s'en défaire pour cette raison : « — il a demandé à la famille si on lui accorderait la permission de tuer le chien, geste qui le délivrerait car l'animal était un sorcier —[118] ». Voilà ce que révéla en justice, Fidèle, un autre fils du meurtrier.

Il fut encore question d'ensorcellement lors du témoignage de Placide Arceneaux. Celui-ci déclara avoir escorté le meurtrier à la ville une fois appréhendé, et que ce dernier «avait l'esprit troublé tout le long du voyage jusqu'à ce qu'ils aient approché la ville où il a dit que saint Jean et saint Paul lui ont apparu sous forme d'oies et qu'ils l'ont délivré — mais par la suite il avait récidivé »[119].

Tous ces témoignages nous font bien voir que la tradition orale n'a pas complètement tort en voulant associer Xavier Gallant à la sorcellerie.

Un autre fait un peu extraordinaire fut rapporté par Magloire Gallant de Mont-Carmel. Sa mère, nous apprit-il, parlait souvent de ce meurtre. Elle disait, entre autres choses, qu'on avait étendu le linge de la morte sur une clôture de lisses. Pendant qu'il était étendu, sept travées étaient mystérieusement tombées[120].

C. *Le sort du meurtrier*

Les personnes interrogées à propos de ce drame n'ont pas toujours pu nous dire ce qui est arrivé à Xavier. Certains informateurs disent qu'il est mort en prison. Une informatrice me dit avoir entendu dire

---

118. « The First Settlers of St. Eleanor's ». Traduction de l'auteur.
119. *Ibid.* Traduction de l'auteur.
120. Coll. Georges Arsenault, ms. non classé.

« qu'ils l'aviont laissé mourir de faim[121] ». Ce fait rejoint quelques versions de la complainte où il est dit que le meurtrier est mort de soif et de faim[122].

Quant à Ben DesRoches, Xavier fut d'abord emprisonné à Sainte-Hélène (St. Eleanors) et ensuite à Charlottetown où il est mort sans que personne sache ce qui lui est arrivé :

> ... ils l'ont attrapé puis ils l'avont mis dans les cachots. Dans ce temps-là Sainte-Hélène était la ville, il n'y avait pas de Summerside. Un juge venait là une fois par an.
>
> Mais ils avont pensé qu'il était fou. On sait pas quoi ce qu'il lui a arrivé. C'était une prison, c'était seulement une petite bâtisse qu'ils aviont. Puis de là, ils [les vieux] pensent qu'il a été mené à Charlottetown et puis il est mort puis personne sait, personne sait ce qu'il lui a arrivé, rien. Dans ce temps-là, il y avait pas de communication puis le monde s'en inquiétait pas trop.[123]

Hubert G. Compton, pour sa part, contredit Ben DesRoches lorsqu'il dit qu'il n'y avait pas de prison plus rapprochée que celle de Charlottetown[124]. Il écrit également que le meurtre fut attribué à la folie et que Xavier passa le reste de ses jours en prison sans jamais être traduit en justice[125]. Évidemment, Compton fait erreur sur ce dernier point, car les documents existent pour nous prouver que Xavier subit son procès. Le même auteur parle également de l'endroit où Xavier aurait été enterré. Il écrit : « On dit que ses restes mortelles reposent aujourd'hui sous la route Malpèque qui mène à la ville[126]. »

Une vieille dame de Mont-Carmel, âgée de 97 ans en 1966, raconta à l'écrivain Antonine Maillet que sa

---

121. Coll. Georges Arsenault, ms. non classé. Inf. : Madame Glorice Cormier.
122. Voir p. 156.
123. Coll. Georges Arsenault, enreg. 1208.
124. « The First Settlers of St. Eleanors », p. 169.
125. *Ibid.*
126. *Ibid.* Traduction de l'auteur.

grand-mère lui avait déjà montré l'endroit où était enterré un homme qui avait tué sa femme:

> ... à Charlottetown, là, que j'avais été avec ma défunte grand'mère en charrette. Elle m'a montré un endroit dans le chemin qui va à Charlottetown là, elle m'a montré un endroit à ras la bouchure où ce qu'il y avait trois gros arbres... où ce qu'il y avait un homme qu'avait été enterré à ras la bouchure.[127]

Les autres détails qu'elle fournit nous font voir qu'il s'agit bien de Xavier Gallant. Elle expliqua aussi pourquoi il ne fut pas enterré en terre sainte et comment sa fosse était marquée:

> Puis ils avont pas voulu l'enterrer dans le cimetière. Il a pas voulu se convertir. Ils l'avont enterré dans le chemin.
>
> Ma grand'mère m'avait montré la place. Ils aviont fait manière d'une croix, bès ils l'aviont pas faite droite. Ils l'aviont fait de même, en biais à cause qu'il avait pas voulu se confesser.[128]

Après la mort de Xavier, on n'oublia pas son prétendu trésor. «Quand qu'ils avont attrapé le vieux Xavier, nous raconta Obéline DesRoches, ils avont point emporté son argent...[129]» Il semblerait que les gens étaient convaincus que Xavier avait réellement enterré son argent. Même son fils Fidèle déclara savoir que son père avait caché son argent dans le bois[130].

Certaines personnes, désireuses de s'accaparer ce trésor, se sont mises à fouiller le terrain. Ben DesRoches nous raconta les aventures de quelques-uns de ces chercheurs:

> Le monde après ça a commencé à creuser pour son trésor, principalement ceux qui appartenaient la terre qu'ils croyaient que le trésor avait été enterré.

---

127. AF, coll. Antonine Maillet, enreg. 171.
128. *Ibid.*
129. Coll. Georges Arsenault, enreg. 803.
130. *The King* vs *Francis Xavier Gallant.*

Maintenant, ils ont creusé. Il y en a d'eux, c'était des femmes et puis leur frère. C'était madame Gilbert DesRoches et puis sa sœur. Elle s'appelait Sophique, Sophie, et puis Césarine était sa sœur. Et puis leur frère, ... c'était Manuel, je pense... Ils ont été creuser. Les trous, moi, cinquante ans passés ou quarante ans passés — j'ai pas été là voilà il y a des années — mais les trous étaient là. Mon père me disait, puis d'autres vieux disaient: «C'est ici qu'ils avont creusé pour le trésor à Xavier, au vieux Xavier, c'est ici.»

Puis il y a des trous... il y a peut-être bien quatre ou cinq trous. Je peux pas m'en souvenir comment ce qu'il y en a. Mais quand qu'ils avont arrivé au chemin, ici là, le bord ici de «Midwest Sales and Services»..., là ils avont creusé. Ils avont venu à une grosse roche et puis le lendemain — la roche était trop grosse — ils auriont quelqu'un pour ôter la roche. Ça fait ils s'en ont été et puis le lendemain ils ont été là puis la roche avait disparu. Ça fait ils ont creusé encore et puis un gros chien qu'a venu alentour le soir, puis il faisait tout le tour qu'ils avaient creusé puis il jappait, il jappait, le chien jappait. Ça fait ils avont eu peur, ils avont dit: «C'est endiablé ça, le diable est alentour d'ici, mais on va laisser ça.»

Ça fait ils avont laissé le trou, ils avont jamais été alentour. Mais quelqu'un a été là — c'était dangereux — puis ils avont rempli le trou et puis le trésor a jamais été trouvé. Ils disent que le trésor est là, que Xavier avait un trésor parce qu'il avait voyagé une tapée. Et c'est de l'or, des louis d'or.[131]

Ainsi se termine ce long chapitre consacré à l'étude du meurtre de Madeleine Doucet par son mari, Xavier Gallant. Le récit de ce drame s'avère bien conservé dans la littérature orale, surtout par le truchement de la complainte, *Le meurtrier de sa femme.* Cette chanson a été relativement bien répandue au cours du dernier siècle et demi, ayant été recueillie depuis l'Île-du-Prince-Édouard jusqu'à la Côte Nord qué-

---

131. Coll. Georges Arsenault, enreg. 1208.

bécoise en passant par les îles de la Madeleine, la Gaspésie et l'est du Nouveau-Brunswick. Enfin, comme
nous l'avons constaté, l'histoire du meurtre survit en
tant que légende surtout chez les Acadiens de l'Île-du-
Prince-Édouard.

CHAPITRE III

Les autres textes

La présentation des dix-neuf autres complaintes à l'étude sera relativement simple comparée aux études détaillées que nous venons d'exposer. D'abord, nous ne donnerons qu'un seul texte pour chaque chanson. Si par contre on ne réussit pas à trouver une version qui regroupe tous les couplets connus, nous suppléerons à ce manque en ajoutant entre parenthèses des couplets d'une deuxième version.

La mélodie de chaque chanson sera illustrée. Dans la mesure du possible, nous produirons l'air qui appartient au texte de la version présentée. Dans le cas d'une version manuscrite non accompagnée de la transcription musicale, nous donnerons une mélodie tirée d'une autre version.

Le contexte historique suivra le texte. Ici nous tenterons d'identifier la ou les personnes en cause dans la complainte, la date de l'événement, l'auteur, etc. Enfin, s'il y a lieu, nous dresserons la liste des versions.

1. *Pascal Poirier*

Version D

1. Ô, cet aimable Pascal, il demeure sur l'Île
[Saint-Jean.
Il épouse seconde femme, très heureux et très
[content.
Quelque temps s'a écoulé, la bonne dame elle
[s'ennuie

Pour aller se promener, elle demande à son
[mari.

2. «Allons donc cher mari, allons donc nous
[promener,
Allons donc sur la grande terre voir nos parents
[et nos amis.»
Cet homme si plein de complaisance, il prévoit
[pas le danger,
Il l'emmène dans sa voiture, le mauvais temps
[s'a élevé.

3. Une goélette bastounaise leur fit signe c'est
[d'avancer,
Ils approchèrent leur voiture le long de ce
[bâtiment,
Ils approchèrent leur monture, tout droit ils
[callirent à fond.

4. Ô, cet aimable Pascal, il voit son épouse à
[l'eau,
Il s'écrie, il verse des larmes, mais ça fut que
[des sanglots.
Mais malgré sa grande misère, il la tenait par
[un pied,
Malheureux sa destinée, elle se sauve, lui s'a
[néyé.

5. Elle s'écrie: «Bonne Sainte Vierge, bonne
[Sainte Vierge Marie!»
Elle priera son fils unique, qu'on n'a pas
[d'espoir(e) sans lui,
Que sa volonté soit faite, son saint nom il soit
[béni.

Pascal Poirier, fils de Basile Poirier et de Tharsile
Bernard, était de Tignish. Il épousa à Rustico en premières noces, le 10 août 1812, Agnès Pitre, fille de
Pierre Pitre et de Martine Gallant. Devenu veuf, il se remaria à Richibouctou-Village, Nouveau-Brunswick, le
10 août 1836 à Marie Savoie, fille de Jean Savoie et
d'Anne DesRoches de Bouctouche. Pascal se noya

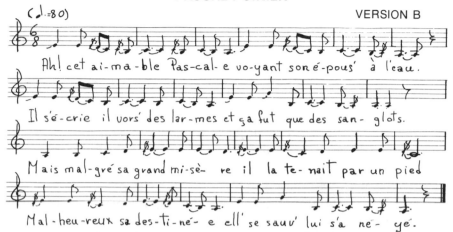

VERSION B

(♩.=8 0)

Ah! cet ai-ma-ble Pas-cal- e vo-yant son é-pous' à l'eau.

Il s'é-crie il vors' des lar-mes et ça fut que des san- glots.

Mais mal-gré sa grand mi-sè- re il la te-nait par un pied

Mal-heu-reux sa des-ti-né- e ell' se sauv' lui s'a ne- ye.

pendant qu'il traversait le détroit de Northumberland en route pour Bouctouche. Voici ce que dit le généalogiste A. E. Daigle à propos de cette noyade :

> Traversant durant une tempête de Tignish à la grande terre, Paschal voulut aller à bord d'un bâtiment. Son bateau se prit dans la chaîne de l'ancre et chavira. Paschal se noya mais Marie fut sauvée.[1]

La date de cet accident est difficile à déterminer. Le premier couplet de la chanson nous laisse croire qu'il eut lieu à une date relativement rapprochée du mariage de Pascal et de Marie. Nous retenons donc l'année 1837 comme approximative.

Liste des versions

Île-du-Prince-Édouard

A. *Prince, Palmer Road, Saint-Édouard.* Coll. Georges Arsenault, enreg. 1102. « Pascal. » Chantée par Sosime Bernard, 71 ans, le 8 novembre 1976. Chan-

---

1. CEA, note manuscrite de A. E. Daigle dans ses notes généalogiques sur la famille Savoie.

son apprise de sa mère et de sa tante Maggie Chiasson. 10 vers.

B. *Prince, Palmer Road, Saint-Édouard.* Coll. Georges Madame Joseph B. Gallant, née Marianne Chiasson, 61 ans, le 10 novembre 1976. Chanson apprise de sa mère, Madame Maggie Chiasson. 3 couplets.

C. *Prince, Palmer Road, Saint-Édouard.* Coll. Georges Arsenault, enreg. 1224. « Pascal. » Chantée par Madame Benoît Allain, née Denise Gaudet, 67 ans, et Madame Joseph Chiasson, née Maggie Gaudet, 86 ans, le 22 novembre 1976. 11 vers.

D. *Prince, Palmer Road, Saint-Édouard.* Coll. Georges Arsenault, ms. 216. « Cet aimable Pascal. » Texte fourni par Émile Chiasson, 51 ans, le 4 avril 1979. Chanson apprise de sa mère, Maggie Chiasson. 18 vers.

2. *Trois jeunes hommes noyés*

Version F

1. Dans notre pays
    Trois jeunes hommes sont partis
    Pour aller pêcher
    Dans la berge du curé.
    Il fallait bien le croire
    Qu'ils reviendront le soir(e).
    À l'heure du souper,
    Oui, ma mère sans plus tarder,
    Ils avont été mouiller
    À la côte du Brae.[2]

2. Ils sont bien partis
    De Saint-Jacques leur pays
    Pour aller pêcher

---

2. Brae, une petite communauté écossaise située à la Baie Egmont dans le Lot 9.

Dans la berge du curé.
C'était le dix de juin
Pensiont pas à leur fin,
En pêchant du poisson,
Disiont qu'ils se réjouissont.
Ils avont été trompés
C'est pour l'éternité.

3. La nuit commencée,
Le mauvais temps élevé,
La pluie et le vent
Épeuraient ces chers enfants.
Le mouillage a cassé,
La berge a bien marché,
Elle était bien conduite
C'est par Jésus et Marie.
Voyez comme ces navigateurs
Pensiont à leur malheur.

4. Dans notre misère
Pensions à notre devoir.
Le Dieu de bonté
Que nous avons offensé,
Offrons-nous tous à lui.
Père et mère et parents,
Priez Dieu pour vos enfants.
Adieu donc nos biens-aimés,
Ceux qui sont peinés
De les voir(e) décédés.

5. Sur la deuxième heure du jour
La berge marchait toujours.
Elle prit sa bordée
Craignant toujours d'abîmer.
Ils disiont tous les trois :
«Grand Dieu ! pardonnez-nous,
Sainte Vierge Marie
Je crois donc j'allons périr.»
Le gouvernaille a manqué
Et la berge a versé.

6. Un bâtiment anglais
   Les suivant toujours de près,
   Il s'est approché,
   Il n'a pas pu les trouver.
   Pensiont qu'ils sont péris,
   Leur heure est arrivée.
   En tout temps, en tout lieu
   Nous en arrivera autant.
   C'est de nous y préparer
   Pour notre destinée.

7. Tous leurs chers parents,
   En voyant le mauvais temps
   Pensiont toute la nuit :
   Nos enfants sont-ils péris ?
   La mère de ces enfants,
   Toujours en gémissant
   À demi évanouie :
   « Prions la Vierge Marie,
   Ah ! Seigneur pour votre bonté
   S'ils ont été sauvés. »

8. Le père affligé
   A pensé à soupirer.
   « Je vais aller chercher
   Voir si je les trouverai. »
   Y a la femme de Jean
   Toujours en soupirant :
   « Ah ! s'il se rangent pas
   Mon père je vous tends les bras
   Ah ! c'est trop malaisé
   S'il faut se séparer. »

9. Le père allarmé
   A pensé à soupirer.
   « Je vais aller chercher
   Voir si je les trouverai. »
   La berge i' a trouvé
   Étant bien massacrée.
   Ne trouvant point ses enfants,
   Grand Dieu ! quelle affliction !

Il les nomme nom par nom :
« Éphrem (e), Paul et Jean. »

10. Les marques sont trouvées,
On voit bien qu'ils sont noyés.
Tous leurs chers parents
Gémissont et s'étouffant.
Il faut-il le croire
Qu'ils ont péri dans la mer.
En regrettant leurs fils
Une messe ils ont promis'
C'est de pouvoir (e) les trouver,
C'est pour les enterrer.

11. Leur frère affligé
Voit sa mère si désolée :
« Mais Dieu par sa bonté
Les aura-t-il pas sauvés ? »
Elle lui dit : « Mon enfant,
Je ressens les tourments
Qu'ils me font tous les trois.
Sainte Vierge, secourez-moi !
Voyez les peines et les tourments
Qu'on a pour ses enfants.

12. Dans les trois marinés [mariniers]
Il en a un de marié.
On peut vous le nommer,
Garçon à Marie Poirier.
Ils sont bien chagrin,
C'était tout son soutien.
Ils sont bien peinés,
Son mari est décédé.
Nous devons tous nous hâter
C'est pour les assister.

13. Ils sont engloutis
Dans la mer ils ont péri.
Tout le peuple a prié,
Ne seront-ils pas trouvés ?
Au bout d'un mois passé
Paul ils l'avont trouvé,

Par un lundi matin
Et de grand matin aussi.
Il était tout défiguré,
Les cheveux emportés.

14. Et fait avertir
    Le père et la mère aussi
    C'est de venir voir(e)
    Leur enfant [qu'est] dans la mer.
    Le père y vient à grands pas
    Le serrant dans ses bras.
    Il vient sans plus tarder
    C'est pour le faire enterrer.
    Nous devons tous désirer
    Qu'il soit tout(e) pardonné.

15. On fait enterrer,
    Les deux autres encore chercher
    Il a fallu croire
    Sont trouvés sur la grand'terre.
    Les nouvelles rapportées
    Leurs corps sont trouvés,
    Ils sont [ensevelis]³ ensemble
    Avec grand' cérémonie.
    C'est marqué sur les papiers
    Qu'ils sont bien enterrés.

16. Dieu veut nous faire voir(e)
    Qu'il peut tout par son pouvoir
    En faisant périr
    Trois jeunes hommes du pays.
    On peut vous les nommer,
    Garçons de Paul Poirier:
    Éphrem(e) et Paul et Jean,
    Voyez trois jeunes garçons.
    La complainte est composée
    Pour pas les oublier.

---

3. Ce mot manque dans le manuscrit. Nous l'empruntons à la version E.

TROIS JEUNES HOMMES NOYÉS

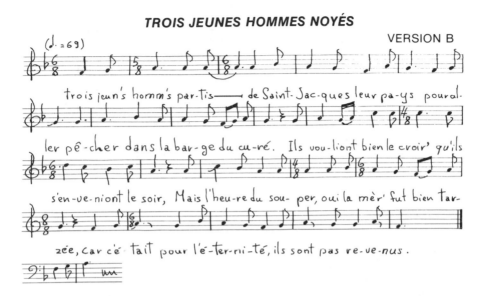

trois jeun's homm's par-tis — de Saint-Jac-ques leur pa-ys pour al-ler pê-cher dans la bar-ge du cu-ré. Ils vou-liont bien le croir' qu'ils s'en-ve-niont le soir, Mais l'heu-re du sou-per, oui la mèr' fut bien tar-zée, car c'é-tait pour l'é-ter-ni-té, ils sont pas re-ve-nus.

Ce naufrage, qui coûta la vie de trois jeunes hommes de la paroisse de Saint-Jacques de Baie-Egmont, s'est produit le 10 juin 1850. Le *Royal Gazette,* un journal publié à Charlottetown, rapportait cette tragédie dans ses colonnes :

> *Décédés* : Trois personnes de Baie-Egmont du nom de John Perry, Paul Perry et John Carmey, ont quitté ce lieu en bateau à voile le 10 juin pour aller pêcher. Il ventait violemment ce jour-là. On présume que leur bateau a chaviré car depuis il a été retrouvé renversé près de Shédiac. Un des corps fut recueilli près de Baie-Egmont, les deux autres près du hâvre de Shédiac.[4]

Les noms des noyés sont quelque peu déformés dans cet article. Le patronyme «Perry» est une traduction anglaise courante du nom français Poirier, alors que «Carmey» serait une déformation du nom de famille Cormier.

---

4. *The Royal Gazette,* le 16 juillet 1850, p. 3. Traduction de l'auteur.

Une certaine difficulté se présente lorsqu'on essaie d'identifier clairement les naufragés et d'établir le lien de parenté qui existait entre eux. Malheureusement, le journal ne signale pas ce rapport. Quant à la complainte, elle précise au douzième couplet que l'un des mariniers est le fils de la veuve Marie Poirier, alors que les neuvième et seizième couplets identifient les noyés comme étant trois fils de Paul Poirier. Et pour embrouiller davantage cette énigme, une des victimes se nomme Éphrem dans la chanson et John dans *The Royal Gazette*.

D'abord, essayons d'éclaircir le cas de Jean, fils de Marie Poirier. Selon les renseignements que nous avons recueillis, Jean était le fils de Pierre Cormier et de Marie Perry (Poirier). Il était marié à Luce Poirier, fille de Paul Poirier et de Hélène Arsenault. De toute évidence, Luce était la sœur des deux autres noyés. D'après les registres paroissiaux de Baie-Egmont, Jean était orphelin de père lors de son mariage le 13 février 1850.

Au dire de Félix Gallant de Cap-Egmont (informateur de la version B), Luce donna naissance à son premier enfant, un fils, après la mort de son époux. Elle le nomma Jean à la mémoire de son mari. Nous avons vérifié l'authenticité de ces renseignements dans les registres de la paroisse et, en effet, Luce Poirier baptisa un fils du nom de Jean Cormier, né le 13 janvier 1851.

Les deux compagnons de Jean Cormier étaient, semble-t-il, les frères Éphrem et Jean Poirier, fils de Paul et d'Hélène Arsenault. Cependant, dans une liste de dix enfants que nous avons pu établir pour ce couple[5], nous retrouvons ni l'un ni l'autre de ces deux noms.

Madame Hélène Arsenault, de Saint-Gilbert, se souvient que sa mère chantait cette complainte. Elle

---

5. Liste établie d'après les registres paroissiaux de Baie-Egmont, Mont-Carmel, Miscouche et Rustico.

nous apprit que sa grand'mère maternelle, Pauline (Madame Moïse Arsenault), était la sœur de ces jeunes hommes dont un se nommait «Phirin». En effet, le grand-père de Madame Arsenault, Moïse, épousa Appoline Poirier, fille de Paul Poirier, le 18 février 1841. Aussi, l'un des frères d'Appoline, né le 19 septembre 1823, s'appelait Zéphirin. La question se pose donc à savoir si le véritable nom d'Éphrem n'était pas plutôt Zéphirin. Il est bien possible, à notre avis, que la tradition orale ait transformé ce prénom. Notons que les noms des victimes de cette tragédie n'ont été conservés que dans deux versions de la complainte, celles-ci provenant du Nouveau-Brunswick (versions E et F). Relativement au *Royal Gazette* qui parle plutôt de «John Perry», il y a lieu de croire qu'il y eut là incompréhension et transformation du vrai prénom. Enfin, en ce qui a trait à Paul, nous n'avons pas réussi à trouver son acte de baptême.

Cette chanson anonyme est composée sur l'air de *Dans tous les cantons*.

Liste des versions

Île-du-Prince-Édouard

A. *Prince, Baie-Egmont, Abram-Village.* Coll. Georges Arsenault, enreg. 644. «Complainte des trois frères noyés.» Chantée par Madame Arcade S. Arsenault, née Hélène Gallant, 83 ans, le 30 juillet 1974. 1 couplet.

B. *Prince, Mont-Carmel, Cap-Egmont.* Coll. Georges Arsenault, enreg. 876. «Les trois hommes noyés.» Chantée par Félix Gallant, 74 ans, le 16 juin 1975. 2 couplets.

C. *Prince, Palmer Road, Saint-Édouard.* Coll. Georges Arsenault, enreg. 895. [Dans notre pays.] Chantée par Madame Benoît Allain, née Denise Gaudet, 66 ans, le 4 août 1975. 4 couplets.

D. (Non localisée). Publiée dans Pascal Poirier, *Le Parler franco-acadien et ses origines*, Québec, 1928, p. 329. 1 couplet.

Nouveau-Brunswick

E. *Kent, Cocagne.* CEA, coll. Morin-Pereira, enreg. 157. «Complainte des trois noyés.» Chantée par Madame Clarence Myers, née Hélène Léger, 50 ans, le 1er juin 1972. 10 couplets.

F. *Kent, Saint-Charles, Kent Lake.* AF, coll. J.-Thomas LeBlanc, ms. n° 773. «Complainte des trois frères.» Recueillie de Madame E. Ouellet vers 1939-1943. 16 couplets.

Non localisée

G. ...... AF, coll. J.-Thomas LeBlanc, ms. n° 5. «Naufrage». Anonyme. Recueillie vers 1939-1943. 7 vers.

3. *Firmin Gallant*

Version A

1. C'est dans notre petite île
Nommée du nom de Saint-Jean,
De Rustico quelques milles
J'entrevois un cher enfant.
Dans une petite barque
Du rivage bien éloigné,
Qui par beaucoup de recherches
Ses filets s'en va chercher.

2. Après beaucoup de recherches
Ses filets il a trouvés,
Et tout hardiment il marche
D'un pas ferme et rassuré.
Et bientôt là il s'embarque
Sur le bord de son vaisseau
Et bientôt sa main si forte,
Le filet monta bien haut.

3. Survint une vague haute,
   Le bateau a chaviré.
   Au moins d'un mille de la côte
   Ce cher enfant s'est noyé.
   Étant au fond des abîmes
   Ce cher enfant a crié :
   « Dieu qui mesurez l'abîme,
   Oh! daignez [me] délivrer. »

4. Oh! l'entendez-vous cher père
   Ce cher enfant qui vous prie ?
   Oh! nous le croyions donc guère
   Qu'il perdrait sitôt la vie.
   « Et vous, ô ma tendre mère
   Qui habitez dans les cieux,
   Par vos puissantes prières
   Arrachez-moi de ce lieu.

5. « Ô Vierge, ô sainte ma mère,
   Oh! daignez me secourir.
   D'une aussi triste manière,
   Ô mon Dieu, faut donc mourir !
   Mon bon ange tutélaire,
   Vous qui guidez tous mes pas,
   Offrez à Dieu mes prières
   Afin qu'il me perde pas.

6. « Mon corps est la nourriture
   De tous les monstres des eaux,
   Comme il serait la pâture
   Des vers au fond d'un tombeau.
   Mais hélas! qu'importe-t-il
   Puisque l'âme est assurée,
   Si des cieux je trouve la porte
   Ouverte pour y entrer.

7. « En ce moment j'abandonne
   Tous ceux que j'ai tant aimés.
   Aux monstres marins je donne
   Ce corps que j'ai tant flatté.
   Que je laisse dans mes ondes
   Mes os, mon sang et ma chaire,

Et je vois bien que le monde
Est un séjour de malheur.

8. «Je vous dis adieu cher père,
Adieu parents et amis,
Adieu mes frères et mes sœurs.
Que vous serez fort surpris
D'apprendre que dans ma force
Je me suis fait emporter
Comme une légère écorce
Que le vent souffle à son gré. »

9. Son corps pour quatre semaines
Est resté au fond des eaux.
Ses parents avec grande peine
Le cherchaient dans son tombeau.
Jour de juin, le vingt-troisième
Mil huit cent soixante et deux,
Ce corps si pâle et si blême
Flottait sur ces eaux si bleues.

10. Il a les mains et la face
Cruellement massacrées,
Les poissons, cruelle race,
Les avaient toutes rongées.
C'est en grande cérémonie
Qu'on a fait l'enterrement,
Tandis que chacun le prie
Le Seigneur Dieu tout-puissant.

11. Si vous désirez d'entendre
Le nom de ce cher enfant,
Je vais vous le faire comprendre,
Son nom est Firmin Gallant.
Dix-huit années est son âge
Bien vigoureux et bien fort,
Plein de vie et de courage
Se croyant loin de la mort. [6]

---

6. Le troisième couplet et les trois derniers vers de la complainte
sont omis de l'enregistrement.

FIRMIN GALLANT

(♩ = 108)

Oh! l'en-ten-dez-vous cher pè-re ce cher en-fant qui nous prie, Oh! nous

le croy-ions donc guè-re qu'il per-dait si-tôt la vie. "Et vous

ô ma ten-dre mè-re qui ha-bi-tez dans les cieux Par vous

puis-san-tes pri- è-res, ar-ra-chez-moi de ce lieu.

(ton original)

timbre: *Au sang qu'un Dieu doit répandre.*

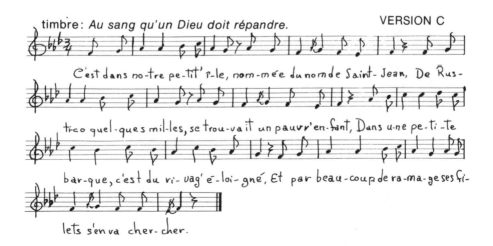

C'est dans no-tre pe-tit' î-le, nom-mée du nom de Saint- Jean, De Rus-

tico quel-ques mil-les, se trou-vait un pauvr'en-fant, Dans u-ne pe-ti-te

bar-que, c'est du ri- vag' é-loi-gné, Et par beau-coup de ra-ma-ge ses fi-

lets s'en va cher-cher.

183

De toute évidence, Firmin Gallant était le fils de Joseph Gallant et de Marie Blaquière. Il est né à Rustico le 14 février 1844[7]. Il se serait noyé en mai 1862 car la chanson dit que son corps fut trouvé le 23 juin 1862, quatre semaines après la noyade.

L'auteur de cette complainte nous est inconnu. Quant à la mélodie, les versions A, B, D, E, et F se chantent sur un air de *Le cou de ma bouteille* alors que la version C fut recueillie sur l'air du cantique *Au sang qu'un Dieu va répandre.*

Liste des versions

Île-du-Prince-Édouard

A. *Prince, Baie-Egmont, Saint-Hubert.* Coll. Georges Arsenault, enreg. 23. «Complainte de Firmin Gallant.» Chantée par Madame Félicien Arsenault, née Alma LeClair, 71 ans, le 29 décembre 1971. 11 couplets.

B. *Prince, Miscouche.* AF, coll. Antonine Maillet, enreg. 118. [Le noyé de Rustico.] Chantée par Madame DesRoches, née Gaudet, 95 ans, le 21 juillet 1966. 6 couplets.

C. (Non localisée). CCECT, coll. père Pierre-Paul Arsenault, ms. n° 53. «Firmin Gallant (Noyé).» Anonyme. Recueillie vers 1925. 8 couplets.

Nouveau-Brunswick

D. *Kent, Cocagne.* CEA, coll. Leblanc-Myers, enreg. 16. «Complainte de Cocagne (noyé de Cocagne).» Chantée par Madame Clarence Myers, née Hélène Léger, 53 ans, le 2 août 1975. 6 couplets.

E. *Kent, Richibouctou-Village.* AF, coll. Jean-Claude Dupont, enreg. 497. «Complainte de Firmin Gal-

---

7. Patrice Gallant, *Michel Haché-Gallant et ses descendants,* Rimouski, 1958, tome I, p. 51.

lant. » Chantée par Rose-Marie Babineau, 21 ans, à l'été de 1966. 6 couplets.

F. *Northumberland, Baie-Sainte-Anne.* AF, coll. Hélène Bernier, enreg. 115. «Firmin Gallant.» Chantée par Jack Martin, 77 ans, en juillet 1958. 6 couplets.

G. *Northumberland, Rogersville.* AF, coll. J.-Thomas LeBlanc, ms. n° 114. «Complainte du noyé.» Texte fourni par Moïse L. Gallant vers 1939-1943. 8 couplets.

H. *Westmorland, Cap-Pelé.* AF, coll. J.-Thomas Le-Blanc, ms. n° 1105. «Nous sommes sur notre petite île.» Texte fourni par un Leblanc vers 1939-1943. 7 couplets.

4. *Naufrage en revenant de Boston*

1. Ils sont partis c'est dans l'année
Un mil huit cent soixante et douze.
Ils sont partis c'est pour Baston [*sic*]
Pour r'venir de grand printemps.

2. Voulez-vous que j'vous les nommions?
C'est presque toutes des Gallant.
Sylvain Gallant, le capitaine,
Gilbert Gallant, Éric Perry, toutes leurs amis.[8]

Cette version fragmentaire fut enregistrée le 10 novembre 1976 de Madame Joseph B. Gallant, née Marianne Chiasson, 61 ans, à Saint-Édouard, Palmer Road, comté de Prince, Île-du-Prince-Édouard. Elle tient cette chanson de sa mère, Maggie Chiasson.

Les naufragés en cause dans cette complainte étaient de Cascumpec. Au nombre des disparus, il y avait Sylvain Gallant, né le 31 mars 1838, et son frère Cyprien, né en janvier 1849. Fils de Cyprien Gallant et de Marguerite Petitpas, ils étaient célibataires. Parmi

---

8. Coll. Georges Arsenault, enreg. 1135.

NAUFRAGE EN REVENANT DE BOSTON

Ils sont par-tis c'est dans l'an-née un mil huit cent soi-xant' et douz' Ils sont par-tis c'est pour Bas-ton pour s'en r've-nir de grand prin-temps.

(ton original)

les autres noyés il y avait leur oncle, Gilbert Gallant, fils de Prospère Gallant et d'Angélique Arsenault, marié à Marie Petitpas, ainsi qu'Éric Perry. Selon le père Patrice Gallant, généalogiste, ils auraient péri en revenant de Philadelphie[9].

5. *Pierre Arsenault*

Version C

1. Approchez-vous si vous voulez entendre
   Une complainte qui vous fera comprendre
   Que l'homme n'est pas pour toujours ici-bas,
   Mais qu'un seul pas peut l'conduire au trépas.

2. Un jeune garçon d'une honnête famille,
   Croyant gagner quelques biens si fragiles,
   S'en est allé dans les États-Unis
   Croyant revenir au pays.

3. De ses années le nombre était fini
   Quoique bien jeune il doit perdre la vie,
   Car le Seigneur avait marqué sa fin,
   Il s'est noyé c'était là son destin.

---

9. Père Patrice Gallant, *Michel Haché-Gallant et ses descendants*, Sayabec, 1970, pp. 57-58.

4. Par un beau jour qu'il était à la pêche,
   Le temps avait aucun' mine de tempête.
   Après avoir terminé sa journée,
   En s'en allant sa chaloupe a sombré.

5. Ah! si d'un mot l'homme (ne) pouvait décrire
   Du pauvre enfant, la frayeur, le délire,
   En se voyant lancer dans un instant
   En face de son juge tout-puissant.

6. Une de ses sœurs a appris(e) la première,
   Par les journaux la nouvelle de son frère.
   Et aussitôt elle a 'té s'informer
   Si la nouvelle était la réalité.

7. Elle a apprise la vérité réelle.
   Elle a écrit une lettre à son père
   Lui demandant de ne pas trop s'attrister
   Mais que son cher frère Pierre était noyé.

8. En apprenant la nouvelle de cette lettre,
   Ce pauvre père faillit perdre la tête.
   «Mon Dieu! dit-il, là, que c'est affligeant,
   Ce cher enfant est mort sans sacrements.»

9. Quand ils apprirent la nouvelle à sa mère,
   Elle adresse au ciel(e) cette prière:
   «Très Sainte Vierge, ne l'abandonnez pas,
   Priez Jésus de lui tendre les bras.

10. Ô Sainte Vierge! ô Mère protectrice!
    De votre enfant soyez médiatrice,
    Votre cher fils veuillez intercéder,
    De ses péchés que Dieu daigne lui
                              [pardonner.»

11. [Il s'est noyé dans le temps du Carême,
    Où Jésus-Christ a souffert tant de peines.
    Ce doux sauveur a versé tout son sang
    Pour le salut de tous ses chers enfants.

12. Consolez-vous et séchez toutes vos larmes,
    Priez Jésus et ayez confiance,

Car dans la foi tout doit se consoler
Puisque Jésus est mort pour nous sauver.][10]

13. Oh! chers parents je prends part à vos peines,
Et à vos larmes et à vos justes craintes.
Mais il ne faut qu'une bonne pensée
Pour mériter l'heureuse éternité.

14. Je le comprends, votre peine est cruelle,
Que son corps n'est pas dans le cimetière,
Qu'il a resté dans un pays étranger,
Sur son tombeau pas pouvoir y prier.

15. Mais si dans les cieux son âme repose,
Ce pauvre corps c'est si peu de chose.
C'est une poussière et une vaine fumée
Qu'à chaque instant est prête à s'envoler.

16. Ils ont trouvé dans le fond de sa malle,
De la Sainte Vierge ils ont trouvé l'image.
De saint Joseph, patron de la bonne mort,
Sans doute qu'il a pris soin de son sort.

17. À tous de dire un Pater et un Avé,
Ça sera peut-être assez pour le sauver.
Son saint patron qui tient la clef des cieux
L'aura introduit dans le sein de Dieu.

Pierre Arsenault naquit à Baie-Egmont le 1er décembre 1859 d'Eusèbe Arsenault et de Marie Manzerole. Il était employé à bord d'une goélette américaine qui faisait la pêche sur les bancs de l'Atlantique lorsqu'il se noya vers 1890[11].

La complainte est attribuée à Émilie Bernard, également de Baie-Egmont.

---

10. Les couplets 11 et 12 sont tirés de la version E.
11. Date donnée par sœur Sainte-Hildebert dans son manuscrit *L'Âme acadienne,* déposé à la Société Saint-Thomas d'Aquin, Summerside, I.-P.-É., p. 214.

PIERRE ARSENAULT

(♩.=96) Rubato   VERSION C

Par un beau jour qu'il é-tait à la pê - che

Le temps a-vait au-cun' min' de tem-pê - tre

Al-près a-voir ter-mi-né sa jour-née

En s'en al-lant sa cha-loup' a som-bré   (ton original)

Liste des versions

Île-du-Prince-Édouard

A. *Prince, Baie-Egmont, Abram-Village.* CEA, coll. Erma Arsenault-Zita Gallant, enreg. 5. «Complainte». Chantée par Madame Joseph P. Arsenault, née Jacqueline Gallant, 84 ans, le 15 novembre 1976. Chanson apprise de sa mère, Madame Joseph Gallant. 5 couplets.

B. *Prince, Baie-Egmont, Saint-Chrysostome.* Coll. Georges Arsenault, ms. n° 42. «Complainte de Pierre à Eusèbe.» Tirée des cahiers de chansons de Madame André Arsenault, née Léonide Arsenault, 1899-1967. 15 couplets.

C. *Prince, Wellington, Richmond.* Coll. Georges Arsenault, enreg. 651. «Complainte de Pierre à Eusèbe.» Chantée par Madame Antonin J. N. Gallant, née Hermina Arsenault, le 31 juillet 1974. Elle tient cette complainte de sa mère mais elle se servit de la version manuscrite de Madame André Arsenault (version B) comme aide-mémoire. 15 couplets.

Nouveau-Brunswick

D. *Kent, Cocagne.* CEA, coll. Morin-Pereira, enreg. 170. «Complainte.» Chantée par Madame Clarence Myers, née Hélène Léger, 50 ans, le 1er juin 1972. 9 couplets.

D[1]. *Kent, Cocagne.* CEA, coll. Leblanc-Myers, enreg. 8. «Complainte du noyé.» Chantée par Madame Clarence Myers, née Hélène Léger, 53 ans, le 2 juillet 1975. Chanson apprise de Madame Jim Caissie, née Marie Caissie, de Grand-Digue, Nouveau-Brunswick, vers l'âge de 10 ans. 9 couplets.

E. *Kent, Saint-Antoine.* AF, coll. J.-Thomas LeBlanc, ms. n° 762. «Complainte du noyé.» Recueillie de Madame Henri Allain vers 1939-1943. 12 couplets.

Non localisée

F. ...... AF, coll. J.-Thomas LeBlanc, ms. n° 761. «Complainte du noyé». Anonyme. Recueillie vers 1939-1943. 11 couplets.

6. *Agape Richard*

Version B

    1. Étant partis pour un voyage de sur les eaux,
        Partis de l'île du Prince-Édouard dans un p'tit
                              [vaisseau.
        Étant partis trois d'équipage pour traverser
        De l'Île à Pictou pour une charge,
                        [s'encourager.

    2. La travorse fut très agréable qu'ils sont
                              [réjouis,
        Mais al' 'tait éloignée être semblable à revenir.
        Car au milieu de la travorse s'a élevé,
        Ah! une terrible tempête, s'a-t-effrayé.

3. Agape s'écrie: «Mes camarades tenons-nous
[bien,
Tenons-nous à quelques cordages pour notre
[bien.»
Agape s'écrie: «Adieu ma femme, mes chers
[enfants.»
Et le vaisseau plonge dans la lame et coule à
[fond.

4. (Les voilà tous trois à la nage parmi les flots,
Ne pouvant retenir davantage ce tombeau.
Mais hélas quelque temps plus tard ont atterri
C'est sur l'île du Prince-Édouard, leur chère
[patrie.)[12]

5. De là et quelque temps plus tard ont enterré
C'est dans l'endroit de leu' embordage qu'ils
[reposent en paix.
La tête entre deux roches tranchantes a été
[(retrouvée),
Le corps d'Agape sa ressemblance a été
[confirmée.

Agape Richard, fils de Fidèle Richard et de Domithilde Gaudet, est né à Tignish[13]. Après son mariage à
Agnès Arsenault[14], on le retrouve installé à Palmer
Road. Agape s'est noyé le 4 août 1890 lors du naufrage
de la goélette *Richard-Thompson.*

Voici deux courts articles sur les victimes de ce
naufrage tels qu'ils ont apparu dans *Le Moniteur acadien :*

Les Naufragés
On a retrouvé deux cadavres des matelots de la
goélette *Richard Thompson,* coulée bas par le ton-
nerre dans la nuit du 4 courant: les corps des deux

---

12. Couplet manuscrit que monsieur L'Aimable Arsenault nous
donna à la suite d'une audition de son enregistrement.
13. *L'Impartial illustré*, Tignish, I.-P.-É. [1899], (p. 73).
14. *L'Impartial illustré* dit qu'Agape était marié à Marie Arsenault.
Par ailleurs, sur l'acte de baptême de leur fille Philomène, le
11 août 1889, l'épouse d'Agape se nomme «Agnès Arseneau».

AGAPE RICHARD

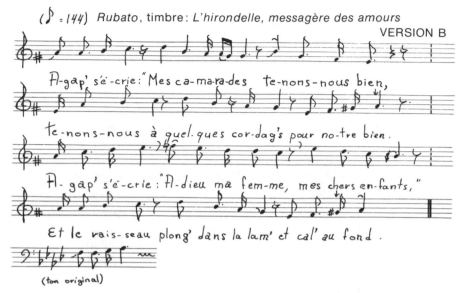

($ = 144$) Rubato, timbre: *L'hirondelle, messagère des amours*

VERSION B

A-gap' s'é-crie:"Mes ca-ma-ra-des te-nons-nous bien,

te-nons-nous à quel-ques cor-dag's pour no-tre bien.

A-gap' s'é-crie:"A-dieu ma fem-me, mes chers en-fants,"

Et le vais-seau plong' dans la lam' et cal' au fond.

(ton original)

Acadiens, Agape et Bélonie Richard. La figure des deux infortunés était décomposée et mangée par les poissons mais on a pu les reconnaître par leurs hardes.[15]

Un autre de trouvé

On a trouvé mercredi matin le cadavre de Joseph O. Green, capitaine de la goélette *Richard Thompson* de Summerside, naufragé entre Pictou et l'I.P.E. Le corps était dans un état de décomposition avancée, la face n'existait plus, mais les mains étaient intactes.[16]

Le texte de cette chanson anonyme nous paraît incomplet.

---

15. *Le Moniteur acadien*, le 26 août 1890, p. 3.
16. *Ibid.*, le 2 septembre 1890, p. 2.

Liste des versions

Île-du-Prince-Édouard

A. *Prince, Palmer Road, Léoville.* Coll. Évéline Poirier (enreg. non classé déposé au secrétariat de la Société Saint-Thomas d'Aquin, Summerside, I.-P.É.) «Complainte.» Chantée par Madame Narcisse Maillet, née Céleste Laviolette, 82 ans, le 3 juillet 1974. 2 couplets.

B. *Prince, Tignish, Saint-Roch.* Coll. Georges Arsenault, enreg. 1115. «Complainte d'Agape.» Chantée par L'Aimable Arsenault, 81 ans, le 8 novembre 1976. Chanson apprise de Joseph et Léon Blanchard de Saint-Roch. 5 couplets.

7. *Adèle Doucette*

Version C

1. C'est un mardi matin,
    conservons ces bonnes pensées,
   C'est une femme bien si jeune encore
    dans ce monde nous a laissés.
   Elle laisse pleurer sur sa tombe
    son mari pis un enfant
   Qu'ils la conservent bien la mémoire,
    c'est aussi bien ses chers parents.

2. Mais quand qu'le déjeuner prit place
    avec toute sa parenté,
   Son très cher père et sa chère mère
    Ils étiont bien désolés.
   Son cher frère et ses chères sœurs
    ils étiont bien affligés
   De voir une de leurs sœurs,
    ah! sur les planches ensevelie.

3. Son cher mari il se désole,
    il pleure bien amèrement
   De se voir quitter de sa bonne

il n'y a pas encore trois ans.
Mais sa très chère femme Adèle
y a dit avant de mourir :
«Te déconforte-toi pas mon cher,
tu seras bientôt consolé.

4. — Comment veux-tu je m'y console
après tu m'auras laissé ?
Car c'est toi, chère ma très bonne
que mon cœur a bien aimé.
Mais si jamais j'en épouse un' autre,
non jamais que j't'oublierai
Je prierai l'bon Dieu pour ton âme
qu'il voit le royaume de Dieu. »

5. Mais cette p'tite orpheline
que j'avons déjà nommée,
Se désolant auprès de elle
comprend pas l'sort qu'i' y a 'rrivé.
D'être [épousé ?] d'une mère
si bonne et sans contredire,
Au commencement d'un ménage
mais la mort l'a bien surpris.

6. Mais cette pauvre femme,
elle est morte de consomption.
Elle consumait de jour en jour
jusqu'au jour de son trépas.
Mais après un an al' est morte,
il faut pas le décourager,
Si j'avions toutes la chance comme elle
d'être si bien préparés.

7. Elle a toute reçu les sacrements
que notre église peut accorder,
Car elle était une bonne Catholique,
ah ! une femme de grande pioté [piété].
Elle portait un bon caractère
qu'il sera jamais ébranlé,
Elle connaissait bien la misère,
elle faisait une grande charité.

8. Mais le lendemain suivant
   les funérailles ont eu lieu.
   Son corps fut porté en terre
   par six hommes bien temparés[17],
   Son corps fut porté en terre
   par six hommes bien temparés,
   La place (i)où elle sera demeure
   sera pour l'étarnité.

ADÈLE DOUCETTE

Son cher ma-ri se dé-so-le il pleu-rvait z'a-mé-re-ment, De s'sé-pa-rer de sa bel-le y'a-vait pas en-cor'trois ans, Mais sa Très chèr'femm'A-dè-le i'a bien dit a-vant de mou-rir: "Ne te dé-sol' pas mon chè-re, tu s'ras bien-tôt con-so-lé."

Adèle est née du mariage de Sylvain Perry (ou Poirier) et de Marie Gaudet de Palmer Road. Elle épousa Jean Doucette, fils d'Abraham Doucette et de Philomène Gaudet de Tignish, le 22 novembre 1887. Elle décéda le 10 octobre 1890.

La composition de la complainte est attribuée au beau-frère d'Adèle, William Doucette. L'air est celui de la chanson folklorique *Noces — Adieu de la mariée*.

---

17. Lire «tempérés». D'après l'informateur, l'auteur voulait dire par cette expression que les porteurs étaient des hommes qui ne touchaient jamais à l'alcool.

Île-du-Prince-Édouard

A. *Prince, Palmer Road, Saint-Édouard.* Coll. Georges Arsenault, enreg. 1019. «Complainte d'Adèle.» Chantée par Madame Joseph Chiasson, née Maggie Gaudet, 85 ans, et par sa fille Marianne, Madame Joseph Gallant, 60 ans, le 7 août 1975. 4 couplets.

B. *Prince, Palmer Road, Saint-Louis.* Coll. Georges Arsenault, enreg. 1193. «Complainte d'Adèle Doucette.» Chantée par Madame Joseph Bernard, née Marie-Rose Richard, 66 ans, le 7 août 1975. Chanson apprise de Madame Joseph Gaudin de Saint-Louis. 4 couplets.

C. *Prince, Tignish.* Coll. Georges Arsenault, ms. n° 211. [C'est un mardi matin]. Recueillie auprès de Madame Joseph Richard, née Marie LeClair, 86 ans, le 13 avril 1977. 8 couplets.

8. *François Richard*

Version A

1. Ah! venez tous mes chers parents
    Entendre chanter une chanson.
    C'est dans le village de Mont-Carmel
    Y a arrivé une triste nouvelle,
    Ça nous fait voir que Dieu tout-puissant
    À pouvoir sur tous ses enfants.

2. C'est un garçon de dix-neuf ans
    Qui paraissait fort bien prudent
    S'en est allé dans les États
    Pour y finir tous ses combats.
    Dieu qui avait marqué sa fin,
    Il s'est tué, c'est là son dessein.

3. Il a le cœur bien attristé
   Ah! c'était pour tous les laisser.
   Tout le bonsoir leur a souhaité,
   Ah! c'était pour l'éternité.
   Mais il avait toujours dans l'idée
   De revenir les rencontrer.

4. Ah! c'était par une belle matinée
   Qu'il prend le «boat» pour traverser
   C'est pour aller dans les États
   Ah! c'était pour y travailler.
   Il croyait pas d'y rencontrer
   La mort funeste qui lui est arrivée.

5. Ah! c'était la première journée
   Qu'i' s'en a été pour travailler,
   Mais quand ça vient sur l'après-midi
   Ils ont entendu ses cris.
   Ils ont été pour le ramasser,
   Il était toute ensanglanté.

6. Son frère qui était là présent
   Qui le regarde bien fixement,
   Dit: «Grand Dieu que c'est attristant
   De voir son frère baigner dans son sang,
   Ni père ni mère pour le secourir,
   Ah! grand Dieu il va aller mourir!»

7. Il a les membres tous écrasés
   Et la face tout' défigurée.
   C'est une pierre qui l'a frappé,
   Ah! c'était là sa destinée.
   Quelle nouvelle pour ces chers parents
   D'apprendre la mort de leur enfant.

8. Ils l'ont porté à l'hôtellerie
   Et le docteur ils ont été qu'ri'.
   Et le prêtre au pied de son lit
   Il 'i a accordé le Saint-Sacrement
   Que l'Église accorde aux mourants
   À tous chrétiens agonisants.

9. Son frère est au pied de son lit
'i a dit : «François, crains-tu d'en mourir ?
— Tout le regret que j'ai de mourir
Mon père, ma mère et tous mes frères
Quand ils apprendront cela
Ah ! grand Dieu quelle triste croix ! »

10. Une télégramme leur est envoyée
Que leur enfant est décédé.
Son père a moitié étouffé
Marche pour aller le rencontrer.
Sa tendre mère lui tend les bras :
«Sainte Vierge Marie secourez-moi ! »

11. Ils l'ont porté à son logis
Avec grande cérémonie.
Tous ses parents seront ici,
Ils les ont tous fait averti'.
Son père qui est si désolé
Était assis à son côté.

12. Il est assez défiguré
Qu'on pouvait presque pas le regarder.
Ils l'ont fait bien enterré,
Son service lui ont fait chanter.
Tous ses parents et ses amis
Sont tous venus prier pour lui.

13. Si vous désirez de savoir
Le nom de ce jeune enfant-là
Oh ! je le tiens dans ma mémoire
Son nom est Joseph François,
Fils d'Antoine et Suzanne Richard
Natif de l'Île-du-Prince-Édouard.

14. Celle qui fit cette chanson
Engage tous pour ce jeune garçon
De dire un Pater et un Avé
Pour lui aider à se sauver.
La Sainte Vierge faut tous prier
[Pour] que son âme soit pardonnée. [18]

---

18. En copiant le manuscrit, nous avons corrigé l'orthographe des mots et nous avons également ajouté la ponctuation.

FRANÇOIS RICHARD

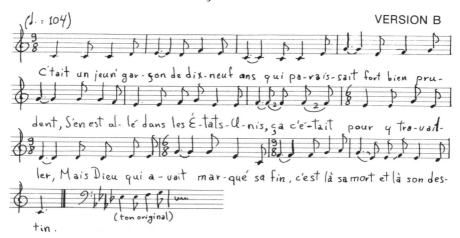

VERSION B

C'tait un jeun' gar-çon de dix-neuf ans qui pa-rais-sait fort bien pru-dent, S'en est al-lé dans les É-tats-U-nis, ça c'e-tait pour y tra-vail-ler, Mais Dieu qui a-vait mar-qué sa fin, c'est là sa mort et là son des-tin.

(ton original)

François Richard est né le 22 mai 1873 du mariage d'Antoine Richard et de Marguerite Poirier. La complainte dit qu'il est le fils «d'Antoine et Suzanne Richard». En effet, son père, devenu veuf, se remaria à Suzanne Richard le 30 avril 1877. La mort de François est survenue à Rumford Falls, aux États-Unis, le 27 décembre 1892. Elle fit l'objet d'un article publié dans *Le Moniteur acadien* dans lequel le correspondant décrit en détail ce lugubre accident:

Terrible accident. — Un bienveillant ami nous écrit de Fifteen Point, I.P.E.:

Il se fait tard pour vous donner les détails de l'accident fatal arrivé à un des braves jeunes gens de Mont Carmel il y a six semaines, mais mieux vaut tard que jamais. François Richard, fils de notre concitoyen M. Antoine Richard, était allé travailler aux carrières de Rumford Falls, E.U., où se trouvait déjà son frère. À sa première journée de travail, on lui donna une pierre à équarrir. C'est son frère qui lui avait montré la manière de s'y prendre, mais on ne savait pas qu'elle était chargée de dynamite. Vers trois heures de l'après-midi, une explosion se fit entendre; la pierre vola en éclats et le malheureux

François fut lancé à une distance de vingt-cinq verges, et quand on le ramassa il était plus mort que vif ; ses hardes étaient tout en lambeaux. On le transporta à l'hôtellerie la plus rapprochée, où le prêtre et le docteur ne tardèrent à arriver. Ayant repris sa connaissance il se confessa et fut administré, puis l'homme de l'art procéda à l'amputation d'une jambe et d'un bras, mais la secousse avait été trop violente. Le jeune François, malgré tous les soins qui lui furent prodigués, expira le même soir. La terrible nouvelle fut immédiatement transmise à sa famille ici, et je renonce à vous dépeindre la douleur de ces parents aimants qui venaient justement de recevoir une lettre de leur enfant leur annonçant qu'il allait se mettre à l'ouvrage le 27 décembre. Les restes du regretté défunt furent transportés à Fifteen Point, où les funérailles eurent lieu le 3 janvier au milieu d'un grand concours de parents et d'amis. François Richard était un jeune homme de 19 ans, bien planté, fort, et affable, et sa mort subite a excité partout la plus vive sympathie pour ses bons parents, si cruellement éprouvés, sympathie dont votre correspondant se fait un devoir de se continuer l'humble écho.[19]

Cet accident fut attribué à l'imprévoyance des propriétaires[20].

Liste des versions

Île-du-Prince-Édouard

A. *Prince, Mont-Carmel.* CEA, coll. Donald Arsenault, manuscrit non classé. «Complainte.» Tiré d'un vieux cahier de chansons appartenant à Magloire Gallant et écrit par ses sœurs. 14 couplets.

B. *Prince, Mont-Carmel, Cap-Egmont.* Coll. Georges Arsenault, enreg. 926. «Complainte de Frank à

---

19. *Le Moniteur acadien*, le 17 janvier 1893, p. 2.
20. *Ibid.*, le 19 janvier 1893, p. 2.

Antoine.» Chantée par Madame Albénie Arsenault, née Alina Arsenault, 73 ans, le 30 juin 1976. 3 couplets.

9. *Jérôme Maillet* [21]

Version D

1. Venez tous jeunes gens entendre le récit
    D'un brave jeune homme quittant sa patrie.
    Quittant si jeune encore ses parents attristés
    Pour s'en aller au loin d'un [22] pays étranger.

2. Il part de chez lui, c'est pour s'en aller
    Dans les États-Unis, c'est pour y travailler.
    Cet aimable jeune homme croyait point
    [rencontrer
    La mort si funeste qui lui est destinée.

3. Par un jour, hélas! étant dans le bois,
    En abattant un arbre il fit un faux pas.
    Mais ce brave jeune homme croyait bien
    [éviter
    La chute de cet arbre qui vint de l'écraser.

4. Il s'est écrié: «Mes très chers amis,
    Venez, accourez tous car je m'en vais
    [mourir.»
    Ses amis accoururent, mais que virent-ils,
    [hélas!
    Cet aimable jeune homme presqu'à l'heure
    [du trépas.

5. Son cousin Joseph se sent animé,
    Se hâte et s'empresse de le dégager.
    Quel cruel spectacle, le trouve ensanglanté,
    Son corps est tout difforme, il est tout
    [meurtrié.

---

21. Conrad Laforte donne le titre *Le bûcheron écrasé par un arbre* à cette complainte dans le *Catalogue de la chanson folklorique française.*
22. Lire «dans un».

6. Le prend dans ses bras, il le transporta
   À une petite camp qu'est pas très éloignée.
   Il est sans connaissance, et il demeure ainsi
   Pendant trois jours entiers sans aucun signe
   [de vie.

7. «Il faut, mes amis, de suite vous alliez qu'ri'
   Le médecin plus près et l'amener ici.»
   Le médecin en vain, si longtemps désiré,
   S'approche du malade qui est fort attristé.

8. Il s'est écrié: «Oh! non, je ne crois pas
   Que ce brave gentilhomme en meurt de cela.»
   Mais souvent l'homme de science est bien
   [souvent trompé
   Car deux mois plus tard il est bien décédé.

9. Auprès de son lit son frère est assis.
   Il lui dit: «Jérôme, tu crains bien de mourir.
   — Tout ce que je désire, cher frère, c'est
   [avant de mourir,
   Voir mon père et ma mère qui m'ont tant
   [aimé.

10. — Jérôme console-toi ou bien résigne-toi,
    Les ceux que tu veux voir sont éloignés de toi.
    Les ceux que tu désires sont éloignés d'ici,
    Aie espérance des voir un jour en Paradis.

11. — Puisqu'il faut, cher frère, me soumettre à
    [mourir,
    Vous emmenerez mon corps, c'est en notre
    [pays.
    C'est bien là en terre sainte je veux être
    [enterré
    Parmi tous mes parents qui m'ont tant chéri.»

12. [Il a bien souffri pendant deux mois entiers
    Sans pouvoir y revoir ceux qu'il désirait tant.
    On appela un prêtre, on alla pour le qu'ri',
    Il ne veut pas venir car c'est pas son pays.][23]

---

23. Ce couplet est unique à la version A.

13. Une lettre apprit à ses chers parents
    Que leur enfant chéri venait de mourir.
    Quelle triste nouvelle pour une mère, hélas!
    Voir son enfant chéri qu'est passé au trépas.

14. Le désir enfin s'étant accompli,
    À la suite de son frère il fut transporté chez
                                                    [lui
    Quelle journée de larmes, de parents attristés,
    Voir leur fils agréable qu'est mort et enseveli.

15. Sa mère se jette à genoux: « Ô Vierge,
                                        [secourez-nous!
    Ayez pitié de nous car je m'adresse à vous.
    Prenez part à nos peines, priez votre cher Fils,
    Que notre enfant jouisse de son saint
                                                [Paradis. »

16. Et mes bien jeunes gens, vous autres qui
                                            [entendez
    Le triste récit de cet infortuné;
    Soyez bien sur vos gardes et soyez bien
                                            [prudents
    Car des malheurs semblables arrivent que
                                            [trop souvent.

JÉRÔME MAILLET

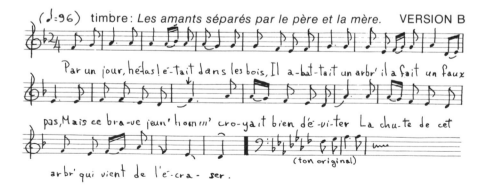

(♩=96) timbre: *Les amants séparés par le père et la mère.*   VERSION B

Par un jour, hélas! e-tait dans les bois, Il a-bat-ta it un arbr' il a fait un faux

pas, Mais ce bra-ve jeun' homm' cro-ya it bien dé-vi-ter La chu-te de cet

(ton original)

arbr' qui vient de l'é-cra- ser.

Jérôme Maillet est né dans la paroisse de Palmer Road le 16 mars 1870. Il était l'enfant cadet d'Anselme Maillet et de Françoise Arsenault. Il est mort à Bethel, Maine, le 5 juin 1892 à l'âge de 21 ans[24].

La complainte fut composée par Laurent Doucette de Saint-Louis qui plus tard émigra à Rogersville dans le Nouveau-Brunswick. Il la composa sur un air de la chanson folklorique *Amants séparés par le père et la mère.*

Liste des versions

Île-du-Prince-Édouard

A. *Prince, Baie-Egmont, Abram-Village.* Coll. Georges Arsenault, enreg. 19. «Jérôme.» Chantée par Madame Augustin P. A. Arsenault, née Lucille Poirier, 79 ans, en mai 1971. Elle chanta cette complainte en suivant une version manuscrite obtenue de Madame Félicien Arsenault de Saint-Hubert. 15 couplets.

B. *Prince, Palmer Road, Saint-Édouard.* Coll. Georges Arsenault, enreg. 369. «Complainte sur Jérôme Maillet.» Chantée par Madame Joseph Chiasson, née Maggie Gaudet, 83 ans, le 5 juin 1973. 3 couplets.

C. *Prince, Palmer Road, Saint-Édouard.* Coll. Georges Arsenault, enreg. 1221. «Complainte de Jérôme.» Chantée par Madame Benoît Allain, née Denise Gaudet, 67 ans, et Madame Joseph Chiasson, née Maggie Gaudet, 86 ans, le 22 novembre 1976. 9 couplets.

D. *Prince, Palmer Road, Saint-Louis.* Coll. Georges Arsenault, ms. n° 209. «La complainte de Jérôme Maillet.» Texte fourni par Madame Joseph Ber-

---

24. State of Maine Department of Human Services, State House, Augusta, Maine.

nard, née Marie-Rose Richard, 63 ans, le 11 juillet 1972. Apprise de Madame Joseph Gaudin de Saint-Louis. 15 couplets.

Nouveau-Brunswick

E. *Gloucester, Sheila, Haut-Sheila.* AF, coll. R. Bouthillier-V. Labrie, enreg. 2220. [Écoutez jeunes gens.] Chantée par Madame Pierrot Robichaud, née Maria Fournier, 68 ans, le 20 juillet 1977. Elle l'a apprise de sa sœur aînée, Délia, à l'âge de 10-12 ans. Celle-ci l'avait apprise à Néguac chez Jos Caissie. 4 couplets.

F. *Gloucester, Saint-Isidore, Haut Tilley Road.* AF, coll. R. Bouthillier-V. Labrie, enreg. 3244. Chantée par Madame Suzanne Brideau, née Morais, 77 ans, le 18 septembre 1977. Chanson apprise de ses parents. 5 vers.

G. *Gloucester, Sheila, Val-Comeau.* AF, coll. R. Bouthillier, enreg. 302. «Complainte de Joseph.» Chantée par Jean-Baptiste Benoît, 67 ans, le 27 janvier 1975. Apprise dans les chantiers forestiers d'Albert Basque de Tracadie. 8 couplets.

H. *Gloucester, Sheila, Val-Comeau.* AF, coll. R. Bouthillier-V. Labrie, enreg. 551. «Le bûcheron.» Chantée par Henri Sonier, 66 ans, le 26 juillet 1975. 5 couplets.

I. *Kent, Richibouctou-Village.* AF, coll. J.-C. Dupont, enreg. 498. «Complainte de Jérôme parti pour les États.» Récitée par Rose-Marie Babineau, 21 ans, à l'été 1966. 6 couplets.

J. *Kent, Saint-Antoine.* CEA, coll. Aucoin-Doucet, enreg. 152. [Écoutez mes chers amis.] Chantée par Madame Marie Cormier, née Martin, 84 ans, en juillet 1971. 11 couplets.

K. *Kent, Saint-Antoine.* CEA, coll. Lise Cormier, ms. n° 11. «Une complainte.» Recueillie d'Amédée Robichaud, 89 ans, le 17 avril 1976. 11 couplets.

L. *Northumberland, Rogersville.* AF, coll. Jean-Claude Dupont, ms. non classé. «Complainte de Jérôme.» Recueillie de Madame P. Richard en août 1967. 13 couplets.

M. *Victoria, Saint-André, Montagne-à-Comeau.* CEA, coll. Denise Pelletier, enreg. 294. «Venez mes jeunes gens». Chantée par Léon Rossignol, 68 ans, le 16 juillet 1976. 10 couplets.

N. *Westmorland, Cap-Pelé.* AF, coll. J.-Thomas LeBlanc, ms. n° 694. «La mort de l'exilé aux chantiers.» Texte fourni par un Leblanc vers 1939-1943. 12 couplets.

O. *Westmorland, Dieppe.* CEA, coll. Jeannette R. Savoie, enreg. 49. «Complainte du jeune homme mort aux É.-U.» Chantée par Madame Gilbert Bourgeois, née Flora Cormier, 69 ans, le 14 octobre 1971. 11 couplets.

P. *Westmorland, Moncton.* AF, coll. Léo Leblanc, enreg. 20. «Écoutez...» Chantée par Arthur Leblanc, 72 ans, en août 1960. 4 couplets.

Q. *Westmorland, Moncton.* CEA, coll. Médard Daigle, enreg. 17. [Parti de chez-lui.] Chantée par Madame Arthur Roy, née Amanda Goguen, 60 ans, en 1955. Native de Saint-Antoine, Kent, Nouveau-Brunswick. 7 couplets.

Nouvelle-Écosse

R. *Inverness, Chéticamp.* CEA, coll. père Anselme Chiasson, enreg. 555. «Le jeune garçon mort dans le bois.» Chantée par Madame Marie Aucoin, 56 ans, le 23 août 1959. 8 couplets.

Québec

S. *Bonaventure, Port-Daniel.* CCECT, coll. Marius Barbeau, ms. n° 939. «Le fils tué dans les chantiers des É.-U.» Recueillie de Joseph Caissy en

1923. Apprise de Georges Dorion de Port-Daniel. 9 couplets.

T. *Bonaventure, Port-Daniel.* CCECT, coll. Marius Barbeau, enreg. MN 3395. «Écoutez tous jeunes gens, écoutez ma chanson.» Chantée par Madame Zéphirin Dorion, née Roy, 44 ans, en 1922. Apprise de son beau-frère, Georges Dorion, de Port-Daniel. 9 couplets.

U. *Gaspé-Nord, Pointe-Jaune.* AF, coll. Raoul Roy, enreg. 495. «Complainte de voyageur.» Chantée par Jean-Marie Joncas, 40 ans, le 2 novembre 1964. 4 couplets.

V. *Gaspé-Nord, Rivière-Madeleine à l'Ours.* CCECT, coll. Carmen Roy, enreg. MN 5216. «Écoutez jeunes gens, écoutez la chanson.» Chantée par Antoine Clavet, 45 ans, en 1948. 5 couplets.

W. *Îles de la Madeleine, Bassin.* CEA, coll. père Anselme Chiasson, enreg. 659. «Un jeune homme mort au bois.» Chantée par Madame Johnny Chiasson, le 13 juillet 1960. 5 couplets.

États-Unis

X. *Maine, Waterville.* AF, coll. J.-Thomas LeBlanc, ms. n° 695. [Écoutez, jeunes gens.] Texte fourni par Madame Annie Maillet, originaire de Saint-Norbert, Nouveau-Brunswick, vers 1939-1943. 11 couplets.

10. *Joseph Arsenault*

Versions A et B

1. Peuple chrétien si vous voulez entendre
L'affliction nous vous la ferons comprendre.
Résignons-nous et soumettons-nous bien,
Souvenons-nous que Dieu visite les siens.

2. Un jeune homme à la tête d'une famille
    Plein de santé, courageux et habile,
    Ne se croyant pas si près de sa fin,
    Dieu l'a voulu, bénissons ses desseins.

3. Un grand matin comme à l'ordinaire
    Se préparait pour aller à la mer...
    Cela nous fait voir qu'il nous faut en tout

                                [temps

    Être préparé pour le jugement.

4. Était pas plus que deux milles du rivage
    Que la tempête a causé le naufrage.
    Presque aussitôt il s'est recommandé
    À Saint Joseph modèle de pureté.

5. Bon Saint Joseph, patron de ce jeune

                                [homme,

    Assistez-le du fond de cette tombe,
    Dans ces combats ne pouvant plus prier
    Nous vous prions de bien l'assister. [25]

6. Je vous dirai en ce jour de deuil
    Que ce jeune homme il n'était pas seul.
    Il a péri avec un d'ses compagnons,
    Un jeune enfant âgé de dix-sept ans. [26]

JOSEPH ARSENAULT

25. Les cinq premiers couplets appartiennent à la version B.
26. Ce dernier couplet constitue la version A.

Joseph Arsenault est né à Baie-Egmont le 25 octobre 1867 du mariage de Laurent Arsenault et de Justine Arsenault. Il épousa Émée Aucoin de Mont-Carmel le 31 janvier 1891. L'autre noyé dont il est fait mention était Camille Gallant, fils d'Anatole Gallant et d'Élizabeth Longuépée, né le 22 décembre 1870. Voici comment *L'Impartial* annonçait cette noyade:

> Mercredi dernier, un violent ouragan s'est abattu sur nos parages et a coûté la vie à deux des braves citoyens d'Egmont Bay. M. Joseph Arsenault et Camille, fils de M. Anatole Gallant se trouvant au large, en train de lever des attrapes à homard, leur embarquation [sic] qui était déjà chargée chavira soudainement et ils se noyèrent. Le malheur est doublement rude vu qu'ils n'étaient qu'à une très petite distance du rivage et que la fureur de l'ouragan rendait tout secours impossible. [27]

Quelques semaines plus tard, après les cadavres trouvés, *Le Moniteur acadien* de Shédiac publia le reportage suivant:

> À la grande consolation des parents et de leurs amis, les cadavres des deux infortunés qui ont péri au large d'Egmont Bay dans la bourrasque du 21 août ont été retrouvés le 10 septembre.
> Celui de Joseph à Laurent Arsenault est venu atterrir sur la grève du Brae, à une quinzaine de milles plus à l'ouest.
> Tous deux étaient à peu près méconnaissables, et ce n'est qu'à leurs hardes qu'on a pu les reconnaître. Ils avaient le visage tout décomposé.
> Depuis le jour de l'accident, les citoyens de la localité faisaient d'actives recherches, mais sans succès. Ce n'est sans doute que lorsque la décomposition eut fait son travail que les cadavres sont revenus à flot, et, emportés par des courants contrariés, sont allés atterrir si loin l'un de l'autre.

---

27. *L'Impartial,* le 29 août 1895, p. 3.

Les parents ont enfin pu avoir la consolation de donner à leurs chers défunts la sépulture au cimetière du village. [28]

La complainte est attribuée à Sophique Arsenault de Saint-Hubert. L'air est le même que celui de la complainte *Pierre Arsenault*. De toute évidence, le texte donné ci-dessus est incomplet.

Liste des versions

Île-du-Prince-Édouard

A. *Prince, Baie-Egmont, Abram-Village.* Coll. Georges Arsenault, ms. 208. «Complainte.» Texte fourni par Madame Tilmon Arsenault, née Marie-Hélène Arsenault, 51 ans, le 30 avril 1976. Chanson apprise de sa mère. Un couplet.

États-Unis

B. *Massachusetts, Chelsea.* Coll. Georges Arsenault, ms. 196. «Joe Laurent.» Texte fourni par Madame Lucy Arsenault, née LeClair, 83 ans, en février 1976. Madame Arsenault est originaire de Saint-Gilbert, Baie-Egmont, Île-du-Prince-Édouard. 5 couplets.

11. *Joachim Arsenault* [29]

Version B

1. Écoutez chanter
    C'est avec attention
    Une complainte composée

---

28. *Le Moniteur acadien*, le 17 septembre 1895, p. 2.
29. Conrad Laforte donne à cette complainte le titre *Joachim Maxime* dans *Catalogue de la chanson folklorique française*, *op. cit.*

Sur un jeune homme d'Egmont-Baie.
Son nom je vais vous nommer,
C'est Joachim Arsenault,
Fils de Maxime Arsenault.
Ô Dieu! quel triste sort
Pour toute sa parenté
De le voir noyé.

2. C'était dans l'année
Mil huit cent quatre-vingt-dix-sept,
Par un bon lundi
Qui se trouvait le vingt et un de juin,
Il s'en est allé
Au large comme de coutume,
Le temps était bien beau
Et le vent était bien doux.
C'est en pêchant le homard
À la mer est tombé.

3. Mon Dieu! quel triste sort,
C'est dans la mer se voir.
Aucune main secourable
Ne venait le secourir.
Il fait un grand soupir,
Dit: «Jésus et Marie,
Puisque c'est dans ces bas lieux
Je rends mon âme à Dieu.

4. Ô toi cruelle mort,
Tu m'affliges bien alors.
Donnez-moi donc le temps
De recevoir les sacrements,
C'était là mon désir
Avant de mourir.
Puisque c'est ma destinée,
Ô de moi ayez pitié,
Faites que je puisse, grand Dieu,
De m'envoler vers les cieux.

5. Le temps est venu,
C'est aujourd'hui qu'il faut partir.
Je suis venu à toi

Par l'ordre du divin Roi.
Étant bien préparé,
Tu viendras chanter
Avec tous les élus :
Gloire à Dieu et à Jésus,
Car c'est le sort trop heureux
Qui nous attend aux cieux.

6. Laissez-vous fléchir
Par votre mère chérie
Qui vous présentera
Mon âme entre vos bras.
Tout pécheur que je sois,
Je prie toute ma vie.
Marie, daigne m'assister
Au moment du danger,
Jugez-moi dans vos bontés,
Non comme j'ai mérité. »

7. Le bateau le plus près
Se trouvait monsieur Després.
Le voyant travailler
Comme d'accoutumance,
Mais dans quelques instants
Il s'en va au courant,
Voyant plus d'homme dedans,
Croyant à l'accident.
À l'instant il partit
Pour aller le sauver.

8. Quand il est arrivé,
N'en pouvant rien trouver.
Mon Dieu ! quel mal de cœur,
Pensant qu'il est dans la mer.
Les voiles il a levées,
À la côte il s'en est allé
C'était pour leur apprendre
Cette nouvelle attristante.
Il dit : « Joachim est noyé
Car je ne l'ai pas trouvé. »

9. Quelle grande affliction
   Pour tous ses chers amis,
   Pour un de leurs pêcheurs
   Qui était dans la mer.
   On retourne chercher,
   On ne l'a pas trouvé.
   Son cher frère qui est là
   Ne faisant que pleurer,
   Dit: «Que c'est bien malaisé
   Quand il faut se séparer.»

10. La nouvelle ont appris
    Son père et sa mère,
    Ses sœurs et son frère
    Qui sont dans les États.
    «Joachim est noyé
    Mais on ne l'a pas trouvé,
    De vouloir s'en venir
    Pour le voir enterré
    Car on a toute espoir
    De le retrouver.»

11. Au bout de quatre jours passés,
    Ses parents sont arrivés.
    Quelle grande désolation
    Dans cette pauvre maison.
    Sa mère s'est écriée:
    «Ô Mère de Jésus-Christ,
    Ne l'abandonnez pas,
    Daignez lui tendre les bras
    Puisque vous êtes la mère
    De chacun de vos enfants.»

12. Deux semaines sont écoulées,
    Son corps on n'a pas trouvé.
    Mais la troisième semaine
    Son service on a chanté.
    À l'heure de la messe
    Deux hommes l'ont trouvé.
    Il flottait sur les eaux,
    Il venait se faire enterrer.

À la côte de l'église
Il était venu terrir.

13. Ils l'ont ramassé
À la côte [ils] l'ont amené.
Ces parents avertis
De venir voir leur enfant.
Son père y va grand train,
C'était pour la dernière fois,
Et c'est bien malaisé
Quand il faut voir son très cher fils
Qui était noyé.

14. Le monde s'est empressé
De venir voir leur ami.
Grand Dieu! quelle pitié,
Il était défiguré.
Ils l'ont enseveli
Avec cérémonies.
À quatre heures du soir
On partit pour le mettre en terre,
On était bien dix-huit voitures,
C'était bien pour l'accompagner.

15. Sa mère qui est au cimetière
Ne fait que pleurer.
«Quelle consolation
Dans notre affliction!
Il faut en remercier
La Divine Trinité,
Nous l'avons ramené
Et on peut l'enterrer,
Car il faut bien le croire,
C'était sa destinée.»

16. Dieu veut nous faire voir
Qu'il peut tout par son pouvoir,
Qu'il pouvait faire périr
Un jeune homme très prudent.
Ayant donné l'idée
D'aller se confesser
Pour mieux se préparer

À la grande éternité.
Car il nous fait tous croire
Son âme est dans les cieux.

17. La complainte a été faite
Par sa parenté,
C'est pour vous faire penser
Que pour lui il faut prier.
Excusez s'il vous plaît
Ces petits versets
Que j'ons composés
C'était pour pas l'oublier
Espérant le voir un jour
Dans la céleste cour.

JOACHIM ARSENAULT

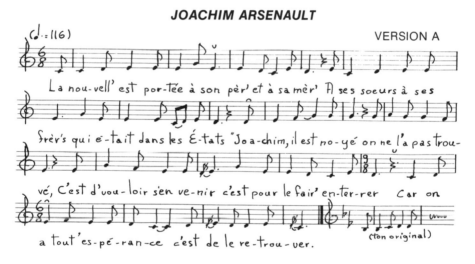

Joachim Arsenault, fils de Maxime Arsenault et de Geneviève Arsenault, est né à Baie-Egmont le 31 mai 1863. Célibataire, il était âgé de 34 ans lorsqu'il s'est noyé. La découverte du cadavre fut annoncée dans *Le Moniteur acadien* du 16 juillet 1897 :

On a trouvé, lundi dernier, le cadavre de Joachim Arsenault qui s'est noyé à Egmont Bay, il y a trois semaines. C'est M. Alex. Clements qui a fait la sinis-

tre trouvaille. Le cadavre, qui était en grande voie de décomposition, a été enterré immédiatement.[30]

La complainte a été recueillie avec deux différentes mélodies. La version A se chante sur l'air de *Dans tous les cantons* alors que nous n'avons pas réussi à identifier le timbre de l'autre version. Quant à l'auteur, il nous est inconnu.

Liste des versions

Île-du-Prince-Édouard

A. *Prince, Baie-Egmont, Abram-Village.* Coll. Georges Arsenault, enreg. 642. «Complainte de Joachim à Maxime.» Chantée par Madame Arcade S. Arsenault, née Hélène Gallant, 83 ans, le 30 juillet 1974. Chanson apprise de sa mère. 6 couplets.

B. (Non localisée) CCECT, coll. père Pierre-Paul Arsenault, ms. n° 15. «Complainte de Joachim Maxime.» Anonyme. Recueillie vers 1924. 17 couplets.

12. *Jean Arsenault*

Version A

Jack Blishe

   1. C'est dans la paroisse de Saint-Jacques
      i' y a une famille éplorée,
Ces pauvres enfants, cette tendre mère
      ont bien raison d'être attristés.
I' y a trois ans, un grand malheur(e),
      un grand malheur est arrivé,
Ce tendre époux, ce tendre père
      a eu une jambe de fracturée.   } *bis*

---

30. *Le Moniteur acadien*, le 16 juillet 1897, p. 2.

2. C'est en halant une bâtisse
   que le malheur est arrivé,
   Cet homme reçut une blessure
   que dans la tombe l'a jeté.
   Sa tendre épouse qu'est tout' en pleurs
   aux funérailles a assisté.
   Elle gémissait sur son malheur
   regrettant son époux bien-aimé.   } bis

3. Mais bientôt cette pauvre famille
   dans la tristesse fut replongée,
   Leur enlevant un être cher(e)
   dans la personne d' leur fille aînée.
   Elle tomba bien malade
   la mettant dans un grand danger.
   Ils priaient tous la Sainte Vierge
   de lui faire recouvrir la santé.   } bis

4. Elle supporta sa maladie
   avec une grande résignation.
   Elle eut le bonheur de mourir
   fortifiée par les sacrements.
   Sa pauvre mère qui est près d'elle,
   ses sœurs et pis ses [frères] aussi,
   Ils se sont tous mis en prières
   que son âme fût en Paradis.   } bis

5. Ils assistèrent aux funérailles
   avec une grande affliction,
   Ils prièrent pour son âme
   avec grande dévotion.
   Nous aussi nous prions pour elle
   qu'elle soit au nombre des bienheureux.
   Nous offrons nos condoléances
   à cette famille éplorée.   } bis

Jean Arsenault, surnommé «Jack Blishe», est né le 25 décembre 1862, fils de François Arsenault et de Domithilde Bernard de Baie-Egmont. Il épousa en premières noces Hélène Cormier, le 5 novembre 1883. En deuxièmes noces, le 25 septembre 1888, il épousa

VERSION A

Mais bien-tôt cett' pau-vre fa-mil-le dans la tris-tess' fut re-plon-gée Leur en-le-vant un ê-tre chè-re dans la per-sonn' d'leur fill' aî-née El- le tom-ba bien ma-la-de la met-tant en un grand dan-ger Ils pri-aient tous la Sain-te Vier-ge d'lui fair' re-cou-vrir la san-té Ils pri-aient tous la Sain-te Vier-ge d'lui fair re-cou-vrir la san-té.

(ton original)

veuve Henriette Arsenault. Il est décédé le 20 septembre 1900. Sa mort fut rapportée dans *L'Impartial* de Tignish la semaine suivant l'accident :

> Jeudi de la semaine dernière, tandis qu'il était engagé à travailler à une grange, M. Jean Arsenault de Wellington se cassa une jambe. On manda le médecin en toute hâte, mais malgré tous les soins de l'art, M. Arsenault succomba à ses blessures. Le défunt était âgé de 36 ans et laisse une épouse et six enfants. [31]

Quelques années plus tard sa fille, Théotisse, le suivit dans la tombe. Elle fut inhumée le 20 mars 1903. L'auteur de cette complainte nous est inconnu.

---

31. *L'Impartial,* le 27 septembre 1900, p. 5.

Liste des versions

Île-du-Prince-Édouard

A. *Prince, Baie-Egmont, Abram-Village.* Coll. Georges Arsenault, enreg. 658. «Jack Blishe.» Chantée par Madame Arcade S. Arsenault, née Hélène Gallant, 83 ans, le 22 août 1974. 5 couplets.

B. (Non localisée) CCECT, coll. père Pierre-Paul Arsenault, ms. 116. «Jack Blèche.» Anonyme, Recueillie vers 1924. 5 couplets.

13. *Jean-François Cormier*

    1. Approchez-vous si vous voulez entendre *(bis)*
        Et nous vous ferons le récit touchant
        D'un accident qu'arrive bien souvent.

    2. Un jeune garçon d'une honnête famille, *(bis)*
        Pensant qu'à l'Île il ne réussirait pas,
        Il s'en va travailler par les États.

    3. Par un matin il s'en fut à confesse *(bis)*
        Ne pensant point que Dieu dans sa bonté
        Le préparait pour son éternité.

    4. Étant enfin muni du pain des anges *(bis)*
        Il va sans crainte, courageux et content,
        Ne pensant point à aucun accident.

    5. Sur son chemin passant une rivière, *(bis)*
        Étant chargé de son porte-manteau,
        Un accident lui a fait tombe à l'eau.

    6. Ce cher enfant n'connaissait point l'abîme
                                 [*(bis)*
        A entrepris malgré tous ses efforts...
        Ce cher enfant dans l'abîme est tombé.

    7. Ses compagnons quoique pleine de courage
                                   [*(bis)*
        Ne voulant point au péril de leur vie
        Faire aucun bien pour lui sauver la vie.

8. Ils lui criaient: «Compagnon, bon courage!»
[*(bis)*

    Et le voyant sa valise à la main
    Croyant toujours d'accomplir son dessein.

9. Ses chers parents apprenant la nouvelle,
[*(bis)*

    Un télégramme leur ayant annoncé
    Que leur cher fils François s'était noyé.

10. Nous connaissons la tendresse d'un père
[*(bis)*

    Et d'une mère qui était bien désolée
    Quand elle apprit que son fils s'est noyé.

11. Sainte Vierge prenez part à mes peines, *(bis)*
    Priez Jésus votre divin fils
    De l'accepter dans son saint Paradis.

12. Toute l'hiver passé dans la rivière *(bis)*
    Et ce ne fut seulement qu'au printemps
    Qu'ils ont retrouvé le corps de cet enfant.

13. Ses chers parents ont bien eu la nouvelle
[*(bis)*

    Que le corps de leur fils était trouvé
    Qu'il fallait bien mieux se consoler. [32]

JEAN-FRANÇOIS CORMIER

Par un ma-Tin il s'en fut à con-fes-se
Ne pen-sant point que Dieu dans sa bon-Té
Le pré-pa-rait pour son é-Ter-ni- Té.

(ton original)

---

32. Coll. Georges Arsenault, enreg. 25.

Cette unique version, probablement incomplète, nous l'avons enregistrée le 29 décembre 1971 de Madame Félicien Arsenault, née Alma LeClair, 71 ans, à Saint-Gilbert, Baie-Egmont, comté de Prince, Île-du-Prince-Édouard. Cette chanson fut composée par Sophique Arsenault de Saint-Hubert. Elle se chante sur l'air de *La vieille sacrilège.*

Jean-François Cormier était le fils de Joseph et Marguerite Cormier de Baie-Egmont. Il s'est noyé le 20 novembre 1912 alors qu'il était en route pour les chantiers forestiers de la Nouvelle-Écosse. L'accident fut rapporté dans le journal *L'Évangéline* la semaine suivante:

> *François Cormier est victime d'un triste accident*
> La paroisse de St-Jacques d'Egmont Bay, I.P.E., vient d'être plongée dans le deuil par la mort tragique de l'un de ses enfants, François Cormier, fils de M. Joseph S. Cormier.
>
> L'infortuné venait de laisser ses parents pour se rendre à la Nouvelle-Écosse où il devait travailler dans les bois. À Maccan, près d'Amherst, il traversait un pont quand il échappa sa valise à l'eau. C'est en faisant des efforts pour la repêcher qu'il fut emporté par le courant. Un compagnon lui cria de lâcher prise et de penser à se sauver; mais le malheureux avait trop retardé. Il lâcha sa valise et voulut gagner le rivage; il ne put y parvenir et sous les yeux de son compagnon, il disparut. Son oncle, Philias Cormier, était présent.
>
> La triste nouvelle fut immédiatement communiquée à ses parents. Le père s'embarquait tout de suite à la recherche du corps.
>
> Le défunt était âgé de 21 ans et était le plus vieux garçon de la famille Cormier. Avant son départ, il assistait aux noces de sa sœur Marie-Anne qui unissait sa destinée à celle de M. Alexis Richard, de Mont-Carmel.
>
> Nous prions les parents affligés d'accepter nos plus sincères sympathies.[33]

---

33. *L'Évangéline,* le 27 novembre 1912, p. 8.

Le neveu du noyé, le père Éric Cormier, rédigea en 1946 une intéressante petite biographie de son oncle. Il recueillit ses renseignements de son père, Antoine Cormier, frère de François. Voici le texte en question:

Né en 1890, il mourut en 1912. Fils aîné de la famille, il ne fréquenta pas l'école longtemps car, très jeune, il s'initia aux travaux de la ferme et prêta main forte à son père. Les autres membres de la famille l'admiraient beaucoup et estimaient ce jeune homme réservé et pieux. À l'âge de 12 ans il dit à son frère Antoine qu'il désirait mourir noyé. Il fut le «garçon suivant» au mariage de sa sœur, Marie-Anne (Mme John Richard), et le soir des noces, alors que tous dansaient au salon, lui préféra se retirer dans la cuisine non éclairée. Il aimait la solitude.

Au mois de novembre 1912, il quitta la maison paternelle pour aller travailler au bois. C'était la première fois qu'il sortait. Les autres garçons étaient assez vieux pour aider leur père dans les travaux faciles de l'hiver. Il ramasserait un peu d'argent car la famille en avait grandement besoin. Il se rendit à Maccan avec des amis de Baie-Egmont. Au bord d'un pont du chemin de fer, il échappa sa valise sur la rive. Aussitôt il descendit pour la chercher, mais il coula et tomba à l'eau dont le courant était puissant. Un seul parmi ses compagnons savait nager, mais si peu qu'il n'osa pas essayer de sauver François.

Quelque temps plus tard son oncle Arsène Arsenault, capitaine de bateau, entreprit de pêcher le corps, mais n'eut aucun succès. Au mois de mars suivant, une petite fille, passant en train, raconta qu'elle avait vu un corps humain flotter sur l'eau. Finalement, au printemps, le corps de François fut retrouvé à Joggins Mines à 50 milles du pont où il s'était noyé. On l'identifia par un soulier qui lui était resté, par la montre que son père lui avait achetée et un vingt-cinq sous en papier qu'il portait toujours sur lui. On interpréta comme une grâce providentielle que ce jeune homme, très bon, ait flotté 50 milles pour s'arrêter à un cimetière catholique. Du pont de Maccan, la plus proche terre bénite était bien à Jog-

gins Mines. Le père, Joseph, pleura vivement le défunt. Les frais d'enterrement furent payés par la société C.M.B.A. à laquelle le papa appartenait. [34]

14. *Les deux noyés de Tignish*

1. Venez écouter la complainte
   que je m'en vas vous chanter,
   Ç'a 'rrivé dans la paroisse
   il n'y a deux jours passés.
   Deux hommes de ce village
   qui s'en avont 'té pêcher,
   Malheureuse leur destinée,
   les deux hommes ils s' sont noyés.

2. L'année mil neuf cent quinze,
   c'était juin le premier.
   Il' ont parti par un mardi,
   il faisait une belle journée.
   Mais on a pas pu savoir
   comment ç'avait arrivé.
   On croit qu'ils ont trop chargé,
   leur chaloupe a chaviré.

3. Qui c' qu'en a 'té la surprise,
   c'était un homme qui travaillait.
   Il regardait sur la mer
   et il a 'tendu des cris.
   On lança-t-une chaloupe
   en croyant c'est les sauver.
   Quand qu'il fut à moitié la route
   les deux hommes étiont calés.

4. Sur le bord du rivage
   le monde était attristé.
   Ils s'en avont 'té au large
   c'était pour le charcher.

---

34. Cette esquisse biographique m'a été envoyée par le père
Cormier, curé de Notre-Dame-de-Kent, Nouveau-Brunswick.

Et à la première charche
  l'un des deux ils ont trouvé.
Je m'en vas vous le nommer,
  c'était Marc à Pierre Perry.

5. Sa femme en apprenant la nouvelle
      elle a presque *suscombé*.
    Elle pleurait celui qu'elle (l)aime,
      son mari, son bien aimé.
    C'est une croix que Dieu envoie,
      il ne faut pas murmurer.
    Il vous aidera lui-même
      ça sera d' la supporter.

6. Allons amis, prenons courage
      il ne faut pas s' décourager.
    On retourne sur la mer
      et on cherche de tou*tes* côtés.
    Quand c'a v'nu sur les quatre heures
      l'autre corps ils ont gaffé.
    Il le ramena sur son père
      qui était fort désolé.

7. Consolez-vous cher ami
      de la parte de votre enfant.
    Vous avez pardu un fi'
      que vous aimiez tendrement.
    Il est dans la fleur de l'âge,
      il n'avait que dix-sept ans.
    Que Dieu prenne pitié d' son âme
      qu'il voulait dans cet instant.

8. De sur terre et de sur mer
      nous y sommes toutes exposés,
    l' en a pas un parmi nous
      sans qu'il soit dans le danger.
    Tiennons-nous bien sur nos gardes
      et soyons bien préparés
    Car une mort semblable
      pourra bien nous arriver.

9. Qui c' qu'en a fait la complainte?
    c'est une de leur parenté.
   Elle était là (i)elle-même
    quand qu' leurs corps ont 'té trouvés.
   Elle aussi, elle vous demande
    un Pater et un Avé
   Pour le repos de leurs âmes,
    vous en serez récompensés. [35]

LES DEUX NOYÉS DE TIGNISH

Al-lons a-mis, pre-nons cou-ra-ge il ne faut pas s'dé-cou-ra-ger On ne tour-ne sur la mer-e et on cherch' de tout's cô-tés. Quand ça v'nu sur les quatr' heu-res l'au-tre corps ils ont gaf-fé Il le ra-mèn' à son pè-re qui é-tait fort dé-so-lé.

(Ton original)

Nous avons recueilli cette complainte en juin 1973 de Léo J. Gallant, 60 ans, d'Arichat, comté de Richmond en Nouvelle-Écosse. Léo Gallant est né à Tignish d'où il déménagea à Arichat en 1956. Il tient la chanson de son auteur, Madame Pierre Poirier, née Isabelle Gaudet, de la paroisse de Tignish. Elle était surnommée «la vieille Grêle». Le timbre est celui de la chanson folklorique *Noces — Adieu de la mariée.*

Le jour même de la noyade, *L'Impartial,* le journal local, rapportait cet accident dans ses colonnes:

---

35. Coll. Georges Arsenault, enreg. 451.

DOUBLE NOYADE

Mardi matin, le premier juin, avait lieu un terrible accident, à Sea Cow Pond. Deux braves pêcheurs ont perdu la vie en faisant la pêche aux harengs. Marc Perry, fils de M. Pierre S. Perry de ce village et son compagnon, Michel Provost de Norway. Les deux pêcheurs étaient allés lever leurs filets qui étaient remplis de harengs. Ayant déjà fait deux voyages à la côte, chargé chaque fois, ils retournaient pour la troisième, quand le surcroît de poissons dans leur chaloupe causant un chavirement et les deux hommes furent précipités à la mer. De suite du secours fut envoyé de la côte, mais trop tard, car les deux braves pêcheurs étaient morts. Les corps ont été trouvés peu de temps après et amenés, l'un à Tignish l'autre à Norway, d'où les funérailles à l'église de Tignish ont eu lieu mercredi. Les funérailles de Marc Perry ont eu lieu le matin et celles de Michel Provost le lendemain.

Que leurs âmes reposent en paix.

Les familles éplorées ont la sympathie de tous dans leurs graves afflictions. [36]

15. *Alex Tremblay*

1. Une mort pénible et triste, c'est à St-Louis est
[arrivée.
Dans l'année mil neuf cent vingt-cinq, c'est
[dans le mois de novembre.
La mort d'un capitaine, Alex Tremblay est
[nommé,
En revenant d'Alberton, ah! il se faisait tuer.

2. C'est avant de partir il lui a dit: « Ma chère
[épouse
Il faut qu' j'alle à Alberton c'est pour payer
[mes assurances.

---

36. *L'Impartial,* le 1er juin 1915, p. 3.

Ne craigne rien chère femme, j'aurai un
[grand soin de moi,
Et que mardi à midi je reviendrai je le crois. »

3. Et il s'en va à renvorse sans pouvoir se
[relever.
Son ami, John R. Perry asseyait de le relever.
Il voit qu' c'est inutile et il s'a mis à crier
Pour les voisins d'alentour c'est de venir lui
[aider. [37]

ALEX TREMBLAY

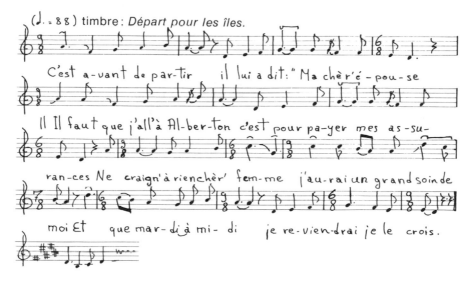

(♩.=88) timbre : *Départ pour les îles.*

C'est a-vant de par-tir il lui a dit :" Ma chèr'é-pou-se

Il Il faut que j'all'à Al-ber-ton c'est pour pa-yer mes as-su-

ran-ces Ne craign'à rienchèr' fem-me j'au-rai un grand soin de

moi Et que mar-di à mi- di je re-vien-drai je le crois.

Nous avons enregistré cette ébauche de complainte le 4 août 1975 de Madame Joseph Chiasson,
née Maggie Gaudet, 85 ans, et de sa fille, Marianne,
Madame Joseph B. Gallant, 60 ans. Toutes deux sont
de Saint-Édouard, Palmer Road, comté de Prince, Île-
du-Prince-Édouard.

---

37. Coll. Georges Arsenault, enreg. 978.

Alex Tremblay est mort accidentellement le 3 novembre 1925 alors que d'Alberton il retournait chez lui en voiture. Il fut fatalement blessé lorsqu'il fut jeté hors de sa voiture quand son cheval, devenu intenable, cassa un trait. Voyons comment *The Pioneer,* le journal de Summerside, rapporta cet accident:

> Un tragique accident est survenu mardi après-midi à quelque cinq milles d'Alberton. Le capitaine Alex Tremblay de St-Louis, accompagné de sa fille, Mlle Margaret, faisait route en voiture légère vers le foyer, sur les 4 heures, lorsque son cheval, un animal fougueux, devint incontrôlable et enfonça cassant ainsi un trait. Les occupants furent jetés hors de la voiture la tête la première, le capitaine Tremblay tombant sur la tête. Le capitaine John R. Perry qui suivait de près ramassa l'homme blessé et inconscient pour le conduire à son logis à peu de distance. Le docteur Keir d'Alberton fut immédiatement appelé, mais avant son arrivée le capitaine Tremblay, qui s'était cassé le cou dans sa chute, avait trépassé. Sa fille s'en est tiré avec quelques petites blessures. L'accident s'est produit à environ quatre milles de l'endroit même où M. Thomas Molkler a perdu la vie le 19 octobre dernier lorsque son cheval s'est emballé tel que rapporté alors dans nos colonnes. Le regretté capitaine Tremblay était un résident des mieux connus et des plus considérés de St-Louis. Nous exprimons toutes nos sympathies à son épouse éprouvée, à ses quatre fils et à ses deux filles. [38]

Alex Tremblay, marié à Judith Peters, était âgé de 62 ans lors de sa mort.

Ce début de complainte fut composé par Maggie Chiasson de concert avec son mari, Joseph. L'air et le style sont empruntés à la complainte de *Jean Richard*, composée à Rogersville, Nouveau-Brunswick[39].

---

38. *The Pioneer*, 7 novembre 1925. Traduction de l'auteur.
39. Voir pp. 58 et 59.

16. *L'accident de train à Tignish*

1. Venez entendre la chanson
D'un accident qu'est arrivé. } bis

2. Dans l'année dix-neuf cent trente-deux,
Un mauvais temps c'est sérieux. } bis

3. C'était un char à dégager
Dans une roue d'neige était bloqué. } bis

4. Les gens de Tignish sont allés,
Ils sont allés pour travailler. } bis

5. Le froid-z-et le mauvais temps
Accâblaient bien ces pauvres gens. } bis

6. Dans le char il fallait entrer
C'est pour s'empêcher de geler. } bis

7. Étiont après de se chauffer
Quand que l'express est arrivé. . } bis

8. Le premier il a culbuté,
Onze personnes ont été blessées. } bis

9. Quatre furent blessées si gravement
Qu'a fallu mourir sur le champ. } bis

10. La nouvelle elle fut envoyée
À les parents de ces blessés. } bis

11. Ce fut une grande excitâtion
Pour les amis et les parents. } bis

12. Le curé, il fut informé
De l'accident qu'est arrivé. } bis

13. Lorsqu'il était bien tard le souère
Le bon curé s'fit un devouère } bis

14. C'est d'aller vouère ces chers mourants
Et leur porter les sacrements. } bis

15. Il leur disait bien tristement:
«Dites votre Acte de contrition.» } bis

16. Le premier qui a trépassé,
Le jeune Gaven qu'il est nommé. } bis

17. Le deuxième fut Benoît Richard
    Qu'ils avaient porté dans le char. } *bis*

18. Le troisième fut Léo Murphy,
    Sous la charrue qu'il était pris. } *bis*

19. Il appela un de ses fi'
    Et il lui dit: «Je vais mourir. } *bis*

20. Tu prendras soin de ta maman
    Et aussi des plus jeunes enfants.» } *bis*

21. Ensuite fallait les amener
    Ah! c'était pour les enterrer. } *bis*

22. Ce fut une grande enterrement
    Qu'il y a eue il y a bien longtemps. } *bis*

23. Disons un Pater, un Avé
    Pour les pauvres âmes de ces blessés. } *bis*

24. Prions la Sainte Vierge et son Fi'
    Pour qu'elle les place au Paradis.[40] } *bis*

L'ACCIDENT DE TRAIN À TIGNISH

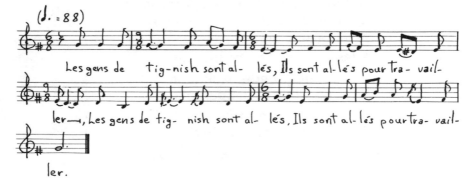

Les gens de tig-nish sont al- lés, Ils sont al-lés pour tra- vail-
ler—, Les gens de tig- nish sont al- lés, Ils sont al-lés pourtra- vail-
ler.

---

40. Coll. Georges Arsenault, enreg. 977. Le dix-huitième couplet,
    omis de l'enregistrement, fut noté par la suite.

Ce texte constitue la seule version qui a été recueillie jusqu'à présent. Nous l'avons enregistrée le 4 août 1975 de Madame Joseph Gallant, née Marianne Chiasson, 60 ans, de Saint-Édouard, Palmer Road, comté de Prince, Île-du-Prince-Édouard.

La complainte fut composée par André Arsenault de Tignish. Elle se chante sur l'air de *Les anneaux de Marianson.*

Cette tragédie arriva le 21 février 1932. Le lendemain elle faisait les manchettes de *L'Évangéline.* On y retrouvait un bon reportage comportant la liste des tués et des blessés :

4 HOMMES TUÉS PRÈS DE TIGNISH

Summerside, I.P.E., 22 — Un « chasse-neige », allant de Summerside vers l'ouest, a frappé l'arrière-train d'un convoi bloqué par la neige et qui transportait des pelleteurs employés à déblayer la voie. Quatre hommes ont été tués dans cet accident, survenu à Harper's Station, à un mille à l'est de Tignish, de bonne heure hier matin.

Les morts sont James Hessian, de Georgetown, mécanicien du train No. 211 qui fut frappé et Benjamin Richards, Elliot Gavin et Leo Murphy, de Tignish, qui faisaient partie de l'équipe des pelleteurs.

27 hommes se trouvaient dans le fourgon des bagages et dans le wagon-voyageurs attachés aux deux wagons de marchandises, à la locomotive et au chasse-neige du train N° 211, lorsque le train N° 53, tiré par deux locomotives et poussant un chasse-neige surgit dans la tempête. John Campbell, qui était dans le wagon de seconde classe en compagnie de 14 autres ouvriers aperçut le train qui arrivait et avertit ses camarades. Dix d'entre eux sautèrent, juste avant que la collision se produisit.

Un train de secours portant des médecins et des infirmières, envoyé de Summerside lorsque la nouvelle de l'accident fut connue, revint hier après-midi, ramenant ceux qui étaient le plus grièvement blessés. M. E. W. MacKinnon, surintendant de la di-

vision de l'Île, était dans le train de secours qui fut dépêché sur les lieux de la catastrophe.

Elliot Gavin et Leo Murphy furent tués instantanément. Benjamin Richards, un autre des pelleteurs, et James Hessian, le mécanicien du train N° 211, succombèrent depuis à leurs blessures.

Les morts: Elliott Gavin, 19 ans, célibataire, Tignish. Leo Murphy, 55 ans, marié, Tignish. James G. Hessian, 49 ans, marié, Georgetown. Benjamin Richards, 37 ans, marié, Tignish.

Les blessés: Harold Harper, 24 ans, marié. Charlottetown. Frank Murray, 52 ans, marié. Charlottetown. Pierre A.-X. Chiasson, 54 ans, marié, Tignish. Peter Campbell, 18 ans, célibataire, Tignish. William Harper, 30 ans, marié, Tignish. Louis Harper, 40 ans, marié, Tignish. Aden Shea, 20 ans, célibataire, Tignish. Joseph Gaudet, 30 ans, marié, Tignish. Wildred Gavin, 60 ans, marié, Tignish. Joseph Dwyer, 50 ans, marié, Tignish. Arthur Boudreault, 33 ans, marié, Tignish.

Les autorités du C.N.R. à Moncton, dans leur communiqué officiel déclarent que la cause de celle-ci n'est pas encore connue et qu'une enquête aura lieu aujourd'hui.

Frank Murray, de Charlottetown, conducteur du train N° 211, a reçu des blessures à la tête et au dos; le serre-frein Harold Harper, de Borden, a eu une jambe fracturée, de même que Peter Campbell. Ils ont tous été admis à l'hôpital du comté de Prince.

À l'exception du mécanicien, du serre-frein et du conducteur, les morts et blessés faisaient partie de l'équipe de pelleteurs et se trouvaient dans le train de fret. Ils s'étaient installés dans le wagon d'arrière pour y passer la nuit. Le train de voyageurs, tiré par deux locomotives et pourvu d'un chasse-neige, frappa en plein dans le wagon et l'éventra.

Le train de fret était parti de Summerside pour Tignish hier midi, et il se trouvait à moins de deux cents verges du lieu de sa destination lorsque la neige qui remplissait la tranchée l'empêcha d'aller plus loin.[41]

41. L'Évangéline, le 22 février 1932, pp. 1 et 3.

17. *Aimé Arsenault*

1. Oh! venez écouter chanter
   La chanson que j'ai composée.
   C'est dans l'village d'Egmont-Baie
   Une triste nouvelle est arrivée,
   Ça nous fait voir que Dieu tout-puissant
   A le pouvoir sur tout(es) ses enfants.

2. C'est un garçon de vingt-sept ans
   Qui paraissait fort bien prudent,
   S'en est allé pour travailler,
   Il était engagé pour pêcher,
   Mais il avait pas dans l'idée
   La mort funeste qui lui est arrivée.

3. Oh! c'était sa dernière journée,
   La parenté s'est assemblée.
   Toute le bonjour leur a souhaité,
   Ah! c'était pour l'éternité.
   Mais il avait toujours dans l'idée
   De revenir les rencontrer.

4. Oh! c'était le lendemain matin,
   Il se levait de bon matin.
   C'est à la côte s'en est allé,
   Oh! c'était pour y travailler.
   Quelle nouvelle pour sa chère maman
   D'apprendre la mort de son enfant.

5. Il était pas aussitôt commencé,
   Oh! c'est à l'eau qu'il a tombé.
   Son camarade au désespoir(e),
   Il ne savait pas trop que faire,
   Il s'écriait: «Au secours, venez!
   Avant qu' c'pauvre enfant soit néyé.»

6. Quelques minutes qui s' sont passées,
   On ne pouvait pas le trouver.
   Par sur Florin ils s'en ont été
   La triste nouvelle à leur donner.
   Sa pauvre mère s'étend les bras:
   «Sainte Vierge Marie, secourez-moi!»

7. Mais une semaine qui s'est passée
   Avant que le corps soit trouvé.
   Oh! c'est un homme de Mont-Carmel
   Qui vient porter la triste nouvelle.
   Mais il était si défiguré
   On n'pouvait presque pas le r'garder.

8. Ils l'ont porté à son logis
   Avec des grandes cérémonies.
   Toutes ses parents sont v'nus ici,
   Ils les ont toutes fait averti'.
   Sa pauvre mère si désolée,
   Elle est assis' à son côté.

9. Si vous désirez de savoir(e)
   Le nom de ce jeune enfant-là,
   Oh! je le tiens dans ma mémoire,
   Son nom était Aimé Arsenault,
   Fils de Marianne et du défunt Florin,
   Natif à l'Île-du-Prince-Édouard.

10. Celle qui a fait cette chanson-là
    Engage toutes pour ce jeune enfant
    De dire un Pater et un Avé
    Pour que son âme soit pardonnée.
    La Sainte Vierge il faut toutes prier
    Pour que son âme soit sauvée.[42]

En mai 1971, Madame Alyre Maddix, née Léah Aucoin, 72 ans, d'Abram-Village, Baie-Egmont, comté de Prince, Île-du-Prince-Édouard, nous chanta cette complainte dont elle en est l'auteur. Elle s'est servi de celle de *François Richard* pour l'air et le style[43].

Aimé Arsenault est né à Abram-Village, dans la paroisse de Baie-Egmont, le 25 octobre 1927 de Florin et Marianne Arsenault. Il s'est noyé le 31 août 1953 en pêchant le homard avec Augustin P. Arsenault, également d'Abram-Village. Le journal de Summerside pu-

---

42. Coll. Georges Arsenault, enreg. 21.
43. Voir p. 65.

AIMÉ ARSENAULT

Oh! c'é-tait sa der-nièr' jour-née La pa-ren-té s'est tout as-sem-
blée tout' le bon-jour-e leur a souhai-té Ah! c'é-tait pour l'é-ter-ni-
té. Mais il a-vait tou-jours dans l'i-dée De re-ve- nir les ren-con-
trer.

blia un reportage relativement circonstancié sur cet accident de pêche. En voici le contenu.

Un homme d'Abram-Village se noie au large de Cap-Egmont

Aimé Arsenault, 21 ans [*sic*], d'Abram-Village, s'est noyé vers 9 heures lundi matin à deux milles au large de Cap-Egmont, alors qu'il pêchait le homard avec son copin, Augustin Arsenault.

Au moment de l'accident, le défunt s'occupait à ses lignes à l'arrière du bateau tandis que son compagnon, Augustin Arsenault, était dans l'avant de l'embarcation. On présume que le décédé a perdu son ballant et est tombé par-dessus bord pendant que les deux hommes travaillaient dos à dos. Augustin Arsenault s'est tourné juste à temps pour apercevoir son partenaire qui disparaissait sous l'eau. À ce moment-là il était trop éloigné pour lui prêter secours. Jusqu'à ce matin on n'avait pas encore retrouvé le corps, malgré les essais.

Le regretté M. Arsenault était le fils de Mme Florin Arsenault et de feu M. Arsenault. Il était un jeune homme d'un excellent caractère, un exemple de premier plan aux jeunes de la paroisse.[44]

44. *The Summerside Journal* et *The Pioneer*, le 2 septembre 1953. Traduction de l'auteur.

Le corps du noyé fut trouvé le 5 septembre par Adrien Arsenault de Cap-Egmont. Il fut mis en terre le 8 du même mois[45].

18. *Francis Arsenault*

1. Oh ! venez écouter chanter
   La chanson qu' j'viens de composer
   Sur un garçon de Egmont-Baie.
   Il s'est noyé dans l'cœur d'l'été.

2. C'est un garçon de dix-neuf ans,
   Il avait pas encore eu ses vingt ans,
   Ça nous fait voir que Dieu tout-puissant
   Vient nous charcher à tout(e) moment.

3. Ah ! c'était l'vendredi matin
   Il se levait de bon matin,
   C'est à la côte qu'i' s'en est allé
   Sans penser c' qu'allait lui arriver.

4. Toute la journée qui s'est passée
   Sans parsonne en entendre parler.
   Mais quand qu'le soir a arrivé
   Là, tout l'monde s'a mis à charcher.

5. La mer qui est ni verte ni bleue,
   Le soleil qui brille plus haut qu'un lieue,
   Où sont donc vos étoiles, oh ! mon Dieu ?
   Nous sommes laissés dans l'obscurité.

6. Une semaine qui s'est passée
   Avant que le corps soit trouvé.
   Deux hommes d'Egmont-Baie qui l'ont trouvé,
   Mais il était toute défiguré.

7. Ils ont fait v'nir un prêtre voisin
   Et aussi son propre cousin,
   C'était pour dire les prières d'la bonne mort
   Car il avait plus que son corps.

---

45. Renseignements donnés par M. Augustin P. Arsenault.

8. Il était toujours si souriant,
   C'est pour c'la qu'le monde l'aimait tant.
   Mais une journée le bon Dieu a choisi
   C'est pour aller dans son beau Paradis.

9. Adieu mes amis et toute ma parenté,
   Je suis parti pour aller voir maman,
   Que j'ai tant manquée parc' j'l'avais tant
                                    [aimée,
   Et son amour régnait pour toujours.

10. Creusez ma fosse, creusez-lè bien creuse,
    Sur mon estoumac vous metterez une rose,
    Sur mon tombeau mettez un p'tit bateau
    Parce que je suis mort au fond de l'eau.

11. Si vous désirez de savoir
    Le nom de ce jeune enfant-là,
    Son nom était Francis Arsenault,
    Fils d'la défunte Yvonne et Willie Arsenault.

12. Celle qui a fait cette chanson-là
    Engage toutes pour ce jeune enfant,
    Dire un Pater et un Avé
    Pour que son âme soit pardonnée. *(bis)* [46]

FRANCIS ARSENAULT

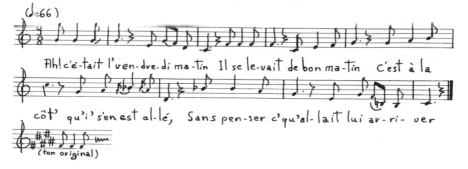

---

46. Coll. Georges Arsenault, enreg. 1120.

La complainte fut enregistrée le 9 novembre 1976 de son auteur, Madame Alyre Maddix, née Léah Aucoin, 77 ans, à Abram-Village, Baie-Egmont, comté de Prince, Île-du-Prince-Édouard. Madame Maddix se servit de l'air de la chanson folklorique *La fille d'un boucher* pour sa composition.

Francis Arsenault, de Saint-Chrysostome, est né le 30 octobre 1956 de Willie et Yvonne Arsenault. Il s'est noyé le 23 juillet 1976. Voici comment *La Voix acadienne,* journal hebdomadaire de l'Île, rapportait cette noyade :

> *Rapporté disparu*
>
> Francis Arsenault, fils de M. William Arsenault et feue Yvonne Arsenault n'est pas revenu d'une randonnée en bateau à moteur vendredi soir dernier [23 juillet].
>
> Un porte-parole du détachement de Summerside de la Gendarmerie Royale du Canada a déclaré qu'un avion Buffalo et deux hélicoptères du Service de Recherche et Sauvetage aérien n'avaient pas réussi à localiser le jeune homme de dix-neuf ans lors de recherches effectuées vendredi soir et samedi au courant de la journée. Toujours selon le même porte-parole, des plongeurs faisaient des recherches sous-marines dimanche alors que des pêcheurs scrutaient les bords du détroit pour des indications quelconques. St-Chrysostôme est à quelque dix milles de Summerside. [47]

Une semaine après l'accident, le cadavre, rejeté sur le rivage, fut trouvé par deux hommes de Saint-Chrysostome, Tanton Landry et Victorin Arsenault. Le père Eloi Arsenault fut appelé pour bénir le corps. Il fut accompagné par Albin Arsenault, le cousin du noyé. Les obsèques ont eu lieu le 31 juillet.

---

47. *La Voix acadienne*, le 28 juillet 1976, p. 1.

19. *Les deux noyés de Saint-Jacques*

Entre soleil et jour couché
Grand vent du nord s'est élevé.
Une grande messe nous promettons
À la Ste-Vierge de la faire dire,
Nous promettons de la faire dire,
Si j'ont l'bonheur de nous sauver.[48]

Ce fragment de complainte, recueilli dans l'Île-du-Prince-Édouard vers 1924, provient de la collection du père Pierre-Paul Arsenault. L'informateur et l'auteur sont inconnus. Quelques vers semblent avoir été empruntés à la chanson folklorique, *Naufrage en mer.* Quant à la mélodie, elle se rapproche aussi de cette chanson.

---

48. CCECT, coll. père Pierre-Paul Arsenault, ms. 106.

CONCLUSION

La complainte de composition locale constitue un riche élément de la culture traditionnelle des Acadiens de l'Île-du-Prince-Édouard. Elle est un moyen d'expression par lequel ce peuple côtier a su exprimer son état d'âme devant des événements tragiques. Nous pourrions qualifier ces chansons de «monuments oraux» élevés à la mémoire des personnes disparues d'une façon tragique, ou encore pour graver dans la mémoire des gens un événement dramatique qui frappa toute une communauté.

Il ne faudrait pas croire que la complainte est une tradition exclusive aux Acadiens, encore moins aux Acadiens de l'Île-du-Prince-Édouard. Aucunement! Il s'agit là d'une tradition universelle vieille comme le monde. L'intérêt qui se présente alors pour nous, c'est de voir comment notre répertoire nous est particulier, et ce, en le comparant avec cette même tradition chez d'autres peuples. Cependant, avant de nous lancer dans des études comparées d'envergure internationale, il importe que nous analysions notre propre répertoire afin de mieux le définir.

Dans le cadre de ce volume, particulièrement dans la première partie, nous avons justement tenté de faire ce genre d'analyse. Celle-ci nous a fait voir que la plupart des complaintes étudiées sont composées sur un même schème qui comporte une invitation, une introduction, un plan narratif, un plan émotif et une conclusion. Nous avons découvert que les complaintes sont composées sur des airs préexistants provenant souvent de chansons folkloriques et même d'autres complaintes. On a également remarqué que des au-

teurs se sont inspirés de complaintes ultérieures pour le style et le contenu de leurs œuvres.

L'élément religieux s'est avéré important pour l'ensemble des complaintes. Du point de vue stylistique, on s'inspirait à différentes sources telles nécrologies, prières, cantiques, etc. Du côté thématique on s'est rendu compte que les complaintes reflètent dans une grande mesure le milieu ambiant. Il paraît donc naturel que les noyades constituent le thème le plus populaire.

Des esquisses biographiques sur les auteurs connus ont démontré que le plus grand nombre étaient des gens peu instruits, quelques-uns même illettrés. Un certain nombre d'entre eux mirent davantage à profit leur talent de poète populaire en composant d'autres genres de chansons.

Suivant cette étude du type biographique, nous nous sommes penché sur la transmission et la diffusion des complaintes. Nous avons d'abord essayé de voir comment les auteurs et les interprètes vivaient cette tradition. Il en est ressorti que la transmission familiale a joué un rôle de premier plan dans la transmission de ce répertoire. Nos recherches nous ont aussi éclairé sur la contribution non négligeable des «homarderies» dans la diffusion et la transmission de la littérature orale.

La diffusion de ces complaintes à l'extérieur de la province constitue une intéressante énigme. Nous avons donc essayé de dépister tous les réseaux par lesquels ces chansons auraient possiblement pu se propager. Il s'est dégagé le fait que les Acadiens de l'Île ne furent jamais complètement isolés des autres groupements acadiens. Souvent pêcheurs ou navigateurs de métier, ces insulaires semblent avoir maintenu des contacts assez réguliers avec les Acadiens d'ailleurs. À part cela, leur émigration, particulièrement vers le Nouveau-Brunswick, et le phénomène des camps forestiers, ont certainement favorisé la diffusion des complaintes.

Nous terminions la première partie par quelques considérations sur la création des variantes. À l'appui de quelques exemples, nous avons démontré que celles-ci ne sont pas toujours créées de façon involontaire.

La deuxième partie de l'exposé fut consacrée à la présentation des textes des complaintes, entourés de leur contexte historique. Les deux plus anciennes furent l'objet d'études approfondies.

L'exode des Acadiens de la Baie de Malpèque constitue un important document historique qui rapporte l'attitude du peuple devant un événement marquant de son histoire, soit une émigration forcée. La chanson *Xavier Gallant — Le meurtrier de sa femme* fut le sujet de la seconde monographie. Bien qu'elle date de la même époque que la précédente (1812-1815), cette chanson sur un meurtre connut une diffusion beaucoup plus large. Elle est bien connue au Nouveau-Brunswick, aux îles de la Madeleine et en Gaspésie, alors que *L'exode des Acadiens de la Baie de Malpèque* n'a été recueillie qu'en quelques versions à l'Île-du-Prince-Édouard. La différence dans leur cote de popularité pourrait s'expliquer du point de vue thématique. *L'exode des Acadiens de la Baie de Malpèque* raconte des faits historiques très locaux qui ne seraient peut-être pas compris à l'extérieur du milieu, alors que l'autre complainte traite d'un thème plus universel. Même si le meurtre s'est produit à l'Île-du-Prince-Édouard (le texte ne le précise pas), rien n'empêche que cette même tragédie ait pu se produire n'importe où ailleurs.

Nous ne prétendons aucunement avoir fait une étude finale, avoir épuisé le sujet. Au contraire, nous ne l'avons qu'introduit. Plusieurs aspects de la complainte ont seulement été effleurés et ils mériteraient d'être approfondis davantage.

Nous espérons, en terminant, que notre recherche contribuera dans une certaine mesure à mieux faire connaître notre littérature orale. Nous souhaitons éga-

lement que notre apport à l'étude de la chanson locale saura inspirer et stimuler d'autres chercheurs à se diriger dans ce domaine pour que dans un avenir rapproché il soit possible d'établir un catalogue acadien, voire canadien-français, de la chanson de composition locale.

BIBLIOGRAPHIE

I. SOURCES

A Collection Georges Arsenault

Cette collection en cours comprend 1 275 enregistrements et 215 manuscrits recueillis pour la plupart auprès d'Acadiens de l'île du Prince-Édouard. Elle est déposée en partie au Centre d'études acadiennes. Voici les numéros qui ont servi d'une façon directe à la rédaction de cette étude.

1. Enregistrements:

   19, 20, 21, 23, 25, 203, 256, 369, 451, 642, 644, 648, 651, 658, 803, 876, 926, 977, 978, 983, 985, 1019, 1081, 1101, 1102, 1115, 1120, 1132, 1134, 1135, 1152, 1182, 1192, 1193, 1194, 1195, 1196, 1199, 1205, 1208, 1218, 1221, 1224, 1267, 1272.

2. Manuscrits:

   42, 152, 172, 174, 176, 177, 182, 192, 196, 197, 199, 208, 209, 211, 214, 216, 217.

3. Correspondance:
   a) Lettre d'Avila Leblanc à Georges Arsenault, Gros-Cap, îles de la Madeleine, 27 septembre 1975.
   b) Lettre de Jean Finnigan à Georges Arsenault, Rogersville, Nouveau-Brunswick, 15 mars 1978.

B *Canada, Québec, Archives de l'Archidiocèse de Québec*

1. Série 310, C.N. volume I:

    a) Numéro 34, Lettre de l'abbé Angus Bernard MacEachern à Mgr Plessis, St. Andrews, I.-P.-É., 5 novembre 1805.

    b) Numéro 39. Lettre de l'abbé Beaubien à Mgr Plessis, Rustico, I.-P.-É., 3 octobre 1812.

    c) Numéro 46. Lettre de l'abbé Angus Bernard MacEachern à Mgr Plessis, Charlottetown, I.-P.-É., 22 octobre 1813.

C *Canada, Québec, Archives de folklore du Centre d'études sur la langue, les arts et les traditions populaires des francophones en Amérique du Nord, Université Laval*

1. Collection Hélène Bernier: enregistrement 115.

2. Collection Robert Bouthillier-Vivian Labrie: enregistrements 302, 551, 949, 1234, 1306, 1349, 1369, 1533, 1542, 1549, 1664, 1690, 1885, 2220, 3244.

3. Collection Jean-Claude Dupont:

    a) enregistrements 497 et 498.
    b) manuscrit 6294.

4. Collection Luc Lacourcière: enregistrements 1089 et 3356.

5. Collection Joseph-Thomas LeBlanc: manuscrits 5, 694, 695, 761, 762, 763, 773, 850, 889, 965, 1104, 1105.

6. Collection Léo Leblanc: enregistrement 20.

7. Collection Antonine Maillet: enregistrements 118 et 171.

8. Collection Roger Matton :
   enregistrement 186.
9. Collection Raoul Roy :
   enregistrement 495.
10. Placide Vigneau (1857-1926) :
    Quatre cahiers manuscrits de chansons. Ces
    manuscrits, dont une photocopie est déposée aux
    Archives de folklore du CÉLAT, sont la propriété
    de Gérard Gallienne de Sainte-Foy, Québec.

D *Canada, Ottawa, Archives publiques du
Canada*
M-561. *Prince Edward Island Council Minutes.* Volume
3, January 1813-January 1816.

E *Canada, Ottawa, Centre canadien d'études sur
la culture traditionnelle, Musée national de
l'Homme*
1. Collection Alarie :
   enregistrement 344.

2. Collection père Pierre-Paul Arsenault :
   manuscrits 15, 53, 83, 92, 106, 116.

3. Collection Marius Barbeau :
   a) enregistrements 3395, 3509, 3560.
   b) manuscrit 939.

4. Collection Helen Creighton :
   enregistrement 5987.

5. Collection Carmen Roy :
   enregistrement 5216.

F *Canada, Moncton, Centre d'études acadiennes, Université de Moncton*
Section folklore
1. Collection Donald Arsenault :
   un manuscrit non classé.

247

2. Collection Erma Arsenault-Zita Gallant:
   enregistrement 5.

3. Collection Réjeanne Arsenault:
   enregistrements 25 et 30.

4. Collection Michel Aucoin-Raymonde Doucet:
   enregistrement 152.

5. Collection père Anselme Chiasson:
   enregistrements 316, 400, 555, 659.

6. Collection Lucille Chiasson:
   enregistrement 20.

7. Collection Adèle Collette-Pauline Banville:
   manuscrit 14.

8. Collection Lise Cormier:
   manuscrit 11.

9. Collection Médard Daigle:
   enregistrement 17.

10. Collection Alodie Gallant:
    manuscrit 2.

11. Collection Larry Leblanc-Irène Myers:
    enregistrements 8 et 16.

12. Collection Ginette Morin-Jean Pereira:
    enregistrements 157 et 170.

13. Collection Denise Pelletier:
    enregistrement 294.

14. Collection Émérentienne Richardson:
    manuscrit 1.

15. Collection Jeannette R. Savoie:
    enregistrement 49.

Archives

1. Rev. Alfred Burke. « Mission of S. S. Philip and James, Egmont Bay », *Catholic Parishes in Prince Edward Island*. Manuscrit.

2. A. E. Daigle. *Notes généalogiques manuscrites sur la famille Savoie.*

248

3. Père Patrice Gallant. *Notes généalogiques manuscrites sur la famille Arsenault.*

4. Placide Gaudet. *Notes généalogiques manuscrites sur les Arsenault.*

G Canada, Charlottetown, Division of Vital Statistics, Department of Health

H Canada, Charlottetown, Prince Edward Island Heritage Foundation

1. Index nominal.

2. Robert A. Rankin. *Down at the Shore: A Social History of Summerside, Prince Edward Island* (1710-1910). Un manuscrit en voie de publication.

I Canada, Charlottetown, Public Archives of Prince Edward Island

1. Supreme Court Papers (Record Group 6):

   a) «*The King* vs *Francis Xavier Galant.* Indictment». 1812.

   b) «Inquisition taken by Coroner on the Body of Magdalene Galant, 16th June 1812.»

   c) «*LePage* vs *Marsh,* Feb. 4 1812.»

   d) «An Inquisition indented taken at the Gaol of Charlotte Town [...] upon the view of the Body of Francis Xavier Galant...» Nov. 6, 1813.

2. Smith-Alley Collection:

   a) «*The King* vs *Francis Xavier Galant.* Supreme Court of Judicature, Friday July 4: 1812.» Report of trial by Charles Serani.

   b) «Petition of Caleb Sentner. Keeper of His Majesty's Gaol at Charlottetown... September 21, 1813.»

3. Conveyance Register, liber 16, folio 45. «Indenture between Harry Compton and the Tenants of St. Eleanors Village, March 1st, 1807.»

4. *Minutes of Court. 1811 to 1813. Crown Side.*

J *Canada, Summerside, La Société Saint-Thomas d'Aquin*

1. Collection Évéline Poirier:
un enregistrement non classé.

2. Sœur Sainte Hildebert (Annie White). *L'Âme acadienne.* Manuscrit dactylographié de 363 pages, circa 1941.

K *États-Unis d'Amérique, Augusta, State of Maine Department of Human Services*

L *Registres paroissiaux de l'Île-du-Prince-Édouard*

Nous avons consulté les registres des paroisses suivantes: Baie-Egmont, Miscouche, Mont-Carmel, Palmer Road, Rustico, Tignish.

II. OUVRAGES CITÉS

ARSENAULT, Bona. *Histoire et généalogie des Acadiens.* Québec, Le Conseil de la Vie française en Amérique, 1965, 2 vol.

ARSENAULT, Georges. «Le système des propriétaires fonciers absents de l'Île-du-Prince-Édouard et son effet sur

les Acadiens», *Revue de l'Université de Moncton,* vol. 9, nos 1, 2 et 3 (oct. 1976), pp. 63-84.

[ARSENAULT, R. P. Pierre-Paul.] *Premier Centenaire de la paroisse de Mont-Carmel, île du Prince-Édouard, 1812-1912.* Moncton, Imprimerie de l'Évangéline, 1912, 92 p.

BARBEAU, Marius. *Romancero du Canada.* [Montréal], Éd. Beauchemin, 1937, 251 p.

BLANCHARD, J.-Henri. *Acadiens de l'Île du Prince-Édouard.* Charlottetown, 1956, 143 p.

.... *Album-Souvenir. 150ᵉ anniversaire. Paroisse St-Philippe et St-Jacques, Baie-Egmont, I.-P.-E.* Moncton, L'Imprimerie Acadienne Ltée, 1962, 87 p.

.... *Histoire des Acadiens de l'île du Prince-Édouard.* Moncton, Imprimerie de l'Évangéline, 1927, 120 p.

.... *Rustico — Une paroisse acadienne de l'Île du Prince-Édouard.* s.l., [1938], 126 p.

.... *The Acadians of Prince Edward Island, 1720-1964.* Charlottetown, 1964, 151 p.

BOLGER, Francis W. P. *et al. Canada's Smallest Province. A History of Prince Edward Island.* Charlottetown, The Prince Edward Island Centennial Commission, 1973, 403 p.

CHIASSON, R. P. Anselme et R. P. Daniel Boudreau. *Chansons d'Acadie.* Pointe-aux-Trembles (Montréal), La Réparation, [1943-1946], 3 vol.

.... *Chansons d'Acadie.* Moncton, Éditions des Aboîteaux, 4ᵉ série, 1972, 54 p.

CLARK, Andrew Hill. *Three Centuries and the Island.* Toronto, University of Toronto Press, [1959], 287 p.

COIRAULT, Patrice. *Formation de nos chansons folkloriques.* [Paris], Éd. du Scarabée, 1953-1963, 567 p.

COMPTON, Hubert G. «The First Settlers of St. Eleanors», *The Prince Edward Island Magazine,* vol. 1, n° 5 (July 1899), pp. 167-171.

DESROCHES, sœur Antoinette. *Miscouche, I.P.E., 1817-1967.* Miscouche, 1967, 60 p.

DUPONT, Jean-Claude. *Héritage d'Acadie.* Montréal, Leméac, 1977, 376 p.

DURAND, Laurent. *Cantiques de l'âme dévôte, dit de Marseille... accommodés à des airs vulgaires.* Nouvelle édition augmentée, Paris, Thiérot, 1854, 384 p.

GALLANT, R. P. Patrice. *Michel Haché-Gallant et ses descendants.* Tome I, s.l., [1958], 114 p.

.... *Michel Haché-Gallant et ses descendants.* Tome II, Sayabec, [1970], 143 p.

GLASSIE, H., E. D. Ives et J. F. Szwed. *Folksongs and Their Makers.* Bowling Green, Ohio, Bowling Green University Popular Press, [1970], 170 p.

Illustrated Historical Atlas of the Province of Prince Edward Island. Philadelphia, J. H. Meacham & Co., publishers, 1880, 162 p.

L'Impartial illustré. Tignish, I.-P.-É., [1899], 64 p.

LACOURCIÈRE, Luc. «Le Général de Flipe [Phipps]», *Cahier des Dix,* Les Éditions des Dix, 1975, n° 39, pp. 243-277.

LAFORTE, Conrad. *Catalogue de la chanson folklorique française.* Québec, Les Presses de l'Université Laval, 1958, 397 p.

.... *Catalogue de la chanson folklorique française.* Supplément. Québec, Les Presses de l'Université Laval, 1964, 274 p.

.... *Poétiques de la chanson traditionnelle française.* Québec, Les Presses de l'Université Laval, 1976, 162 p.

LAWS, G. Malcolm. *Native American Balladry. A Descriptive Study and a Bibliographical Syllabus.* Revised Edition. Philadelphia, The American Folklore Society, 1964, XIV et 298 p.

MacMILLAN, Rev. John C. *The Early History of the Catholic Church in Prince Edward Island.* Québec, 1905, 300 p.

MASSIGNON, Geneviève. «Chants de Mer de l'Ancienne et de la Nouvelle France», *Journal of the International Folk Music Council,* volume XIV (1962), pp. 74-86.

MASSIGNON, Geneviève. *Les Parlers français d'Acadie*. Enquête linguistique. Paris. Klincksieck, 1962, 2 vol.

PINEAU, Wilfred, *Le clergé français dans l'Île du Prince-Édouard 1721-1821*. Québec, Les Éditions Ferland, 1967, 157 p.

PLESSIS, Mgr Octave. «Voyage de 1812», *Le Foyer Canadien,* Recueil Littéraire et Historique, tome III, Québec, 1865, pp. 73-280.

POIRIER, Pascal. *Glossaire Acadien.* Moncton, Centre d'études acadiennes, 1977, 466 p. Le premier fascicule (A-B-C) fut publié en 1953.

POIRIER, Pascal. *Le Parler franco-acadien et ses origines.* Shédiac, édition privée, 1928, 339 p.

Rapport concernant les Archives canadiennes pour l'année 1905. Ottawa, Imprimeur du Roi, 1909, vol. II, appendice A, 168 p.

Rapport des Archives du Québec. Québec, ministère des Affaires culturelles, 1968, t. 48, 377 p.

RAYBURN, Alan. *Geographical Names of Prince Edward Island.* Ottawa, Department of Energy, Mines and Resources, 1973, 135 p.

Recueil de Cantiques à l'usage des Missions, Retraites et Catéchismes. Dixième édition. Québec, 1833, 102 p.

RENS, Jean-Guy, et Raymond LeBlanc. *Acadie/Expérience. Choix de textes acadiens: complaintes, poèmes et chansons.* Montréal, 1977. Éd. Parti Pris, 197 p.

Souvenir Program of the Centennial Celebration, St. Simon and St. Jude Roman Catholic Church. Tignish, 1961, (non paginé).

WARBURTON, A. B. *A History of Prince Edward Island.* St. John, N. B., Barness & Co. Ltd., 1923, xv-494 p.

III. AUTRES OUVRAGES CONSULTÉS

COHEN, Anne B. *Poor Pearl, Poor Girl! The Murdered-Girl Stereotype in Ballad and Newspaper.* Austin, The University of Texas Press, 1973, 131 p.

COIRAULT, Patrice, *Notre chanson folklorique.* Paris, Auguste Picard, [1941], 467 p.

CORMIER, Charlotte. *Étude d'une collection de chansons de tradition orale acadienne.* Thèse, D.E.H. Sc. Soc., Paris, 1975, 187 p.

CREIGHTON, Helen. *Maritime Folk Songs.* Toronto, The Ryerson Press, 1972, 210 p.

DIBBLEE, Randall et Dorothy. *Folksongs from Prince Edward Island.* Charlottetown, P.E.I. Centennial Commission, 1973, 124 p.

DONCIEUX, George. *Le Romancero populaire de la France...* Paris, E. Bouillon, 1904, XLIV-522 p.

DORSON, Richard M., editor. *Folklore and Folklife. An Introduction.* Chicago, The University of Chicago Press, 1973, 561 p.

FIFE, Austin E. «A Ballad of the Mountain Meadows Massacre», *Western Folklore,* vol. XII N° 4 (October 1953), pp. 229-241.

FOWKE, Edith. *Lumbering Songs from the Northern Woods,* Austin, The University of Texas Press, [1970], xiii et 232 p.

GAGNON, Ernest. *Chansons populaires du Canada.* 9ᵉ édition (conforme à l'édition de 1880) [Montréal], Éditions Beauchemin, 1952, 350 p.

HALPERT, Herbert. «Vitality of Tradition and Local Songs», *Journal of the International Folk Music Council,* volume III (1951), pp. 35-40.

HARCOURT, Marguerite et Raoul d'. *Chansons folkloriques françaises au Canada.* Québec, Presses Universitaires Laval, 1956, 449 p.

IVES, Edward D. *Lawrence Doyle: The Farmer-Poet of Prince Edward Island. A Study in Local Songmaking.* Orono, Maine, University of Maine Press, 1971, XVIII-269 p. (University of Maine Studies, N° 92).

.... *Larry Gorman: The Man Who Made the Songs.* Bloomington, Indiana, Indiana University Press, 1964, 225 p.

LAFORTE, Conrad. *La chanson folklorique et les écrivains du XIXe siècle (en France et au Québec).* Montréal, Éditions Hurtubise HMH Ltée, 154 p. (Collection Ethnologie québécoise).

LEBLANC, Raymond. «Pour une interprétation critique des complaintes», *La Revue de l'Université de Moncton,* vol. 8, n° 2 (mai 1975), pp. 79-103.

ROY, Carmen. *La littérature orale en Gaspésie.* Ottawa, Musée National du Canada, Bulletin n° 134, 1955, 389 p.

IV. JOURNAUX

Voici la liste des journaux que nous avons consultés lors de nos recherches:

The Examiner (Charlottetown, I.-P.-É.).

L'Évangéline (Moncton, N.-B.)

The Gleaner (Chatham, N.-B.)

The Guardian (Charlottetown, I.-P.-É.).

L'Impartial (Tignish, I.-P.-É.), 1893-1915. Dépouillé au complet.

Le Moniteur acadien (Shédiac, N.-B.), 1867-1925. Dépouillé au complet.

The Pioneer (Summerside, I.-P.-É.).

The Weekly Recorder (Charlottetown, I.-P.-É.).

The Royal Gazette (Charlottetown, I.-P.-É.).

La Voix acadienne (Summerside, I.-P.-É.).

SIGLES ET ABRÉVIATIONS

AAQ............Archives de l'Archidiocèse de Québec

AF...............Archives de folklore, CÉLAT, Université Laval, Québec

APC............Archives publiques du Canada, Ottawa

CEA............Centre d'études acadiennes, Université de Moncton

CCECT . . . .Centre canadien d'études sur la culture traditionnelle, Musée national de l'Homme, Ottawa

coll. ....collection

enreg. ....enregistrement

É.-U. . . . . . .États-Unis

I.-P.-É.........Île-du-Prince-Édouard

ms. ....manuscrit

N. B............Nouveau-Brunswick

N.-É............Nouvelle-Écosse

PAPEI.........Public Archives of Prince Edward Island, Charlottetown

LISTE DES CARTES GÉOGRAPHIQUES

TABLE DES MATIÈRES

ACHEVÉ D'IMPRIMER SUR
LES PRESSES DES ATELIERS
MARQUIS DE MONTMAGNY
LE 9 JUILLET POUR
LES ÉDITIONS LEMÉAC INC.

Ouvrages déjà parus dans la collection «Connaissance»

Robert-Lionel Séguin, *les Ustensiles en Nouvelle-France*, 1972, 144 p.

— *la Vie libertine en Nouvelle-France au dix-septième siècle*, 1972, 2 vol. à pagination continue, 574 p.

— *l'Injure en Nouvelle-France*, 1976, 252 p.

Normand Lafleur, *la Vie quotidienne des premiers colons en Abitibi-Témiscamingue*, 1976, 198 p.

Urbain Arsenault, *Patrimoine gaspésien. Baie-des-Chaleurs*, 1976, 152 p.

Jean-Claude Dupont, *Héritage d'Acadie*, 1977, 376 p.

Michel Desgagnés, *les Goélettes de Charlevoix*, 1977, 182 p.

Maurice Carrier et Monique Vachon, *Chansons politiques du Québec*, t. I: *1965-1833*, 1977, 364 p.; t. II: *1834-1858*, 1979, 450 p.

Robert Michaud, *L'Isle-Verte vue du large*, 1978, 354 p.

Lauraine Léger, *les Sanctions populaires en Acadie*, 1978, 186 p.

Robert-Lionel Séguin, *la Sorcellerie au Québec du XVIIe au XIXe siècle*, 1978, 250 p.

Jean-Claude Dupont, *le Légendaire de la Beauce*, 1978, 196 p.

— *Histoire populaire de l'Acadie*, 1979, 440 p.

Michel Noël, *Art décoratif et vestimentaire des Amérindiens du Québec. XVIe et XVIIe siècles*, 1979, 194 p.

Raymond Boily, *le Guide du voyageur à la Baie-Saint-Paul au XVIIIe siècle*, 1979, 134 p.

Jean-Philippe Gagnon, *Rites et croyances de la naissance à Charlevoix*, 1979, 150 p.

Serge Gagnon et René Hardy, *L'Église et le village au Québec, 1850-1930*, 1979, 174 p.